REMERCIEMENTS

Ont contribué à ce livre les auteurs suivants :

Tom Allen
Marcellino d'Ambrosio, Ph. D.
Matthew Pinto
Mark Shea
Paul Thigpen, Ph. D.

Assistance technique et éditoriale : Annamarie Adkins, Sue Allen, Michael Flickinger, Michael Fontecchio, Joseph Lewis, Michael Miller et Lucy Scholand. Coordination du marketing et des relations publiques : Tara Williams.

Édition originale :
Ascension Press
Post Office Box 1990
West Chester, PA 19380
Orders : (800) 376-0520
www.AscensionPress.com
info@ascensionpress.com

Édition française :
Pour toutes informations et commandes
www.librairietequi.com
www.passiondejesus.net
www.p@ssion.net
www.serviam.net

Couverture : Kinsey Caruth

Guide de la Passion

100 questions sur *La Passion du Christ*

Traduit de l'américain par Claude Mahy

PIERRE TEQUI *éditeur*
82 rue Bonaparte – 75006 Paris

L'auteur de cette traduction a également traduit de l'américain et fait publier en France le livre de Scott et Kimberly Hahn :

Rome Sweet Home – Éditions de l'Emmanuel

Elle est aussi l'auteur d'un opuscule :

Guide de lecture de l'Ancien Testament
La Bible, histoire d'Amour, histoire d'Alliance – Éditions Téqui.

Elle donne des conférences sur la Bible. Pour tout renseignement, écrire à : Claude Mahy – 20 rue de la Chaumière – 78000 Versailles – France. Adresse E-mail : claude-mahy@wanadoo.fr

***

Les versets de la Bible cités dans le présent ouvrage sont extraits du *Nouveau Testament – Révisé par* Fr. Bernard-Marie, o.f.s. *sur la traduction du* Chanoine Crampon – 1923 (Éd. Téqui).

Pour l'édition américaine :

Nihil obstat :	*Imprimatur :*
Bernadine Carr, STL	+ Robert H. Brom
Censor Librorum – 1er Mars 2004	Évêque de San Diego– 2 Mars 2004

Pour l'édition française :

Nihil obstat :	*Imprimatur :*
Père Michel Dupuy	Maurice Vidal, vic. ép.
12 Mars 2004	13 Mars 2004

ISBN : 2-7403-1117-6

En guise de préface

L'été dernier, Mel Gibson a montré son film, à Atlanta, à un petit nombre de responsables religieux locaux. J'ai pu, à cette occasion, discuter longuement, en privé, avec M. Gibson. Je suis entièrement convaincu qu'il n'a fait ce film que pour des motifs totalement religieux et qu'il manifeste une foi et une dévotion sincères. Je suis également impressionné, d'une part, par l'enthousiasme avec lequel il a fait face à ce défi monumental que représente l'illustration exacte des événements de l'Évangile, relatifs à la Passion de notre Seigneur, et d'autre part, par son courage pour affronter l'opposition qu'une telle illustration a suscitée et qu'elle suscitera encore.

Mel Gibson, pour son message, s'est éclairé du message de l'Église. Plus spécifiquement, quand il décrit l'arrestation, le procès et la condamnation de Jésus Christ, il n'en fait porter sur personne la responsabilité exclusive, ni sur les Juifs, ni sur les Romains, ni sur les Hérodiens.

Les souffrances et la mort de Notre Seigneur résultent d'une seule et unique cause : la présence du mal dans le monde, suite au péché, et la faiblesse des hommes et des femmes lorsqu'ils sont assaillis par les tentations de Satan. Tout le monde est responsable de la souffrance et de la mort de Notre Seigneur. Chacun devrait ressentir douleur ou contrition en voyant que, seul le sacrifice de l'innocence du Christ, pouvait valablement expier nos péchés. C'est une dure leçon pour nous, si orgueilleux.

Et c'est une leçon presque impossible à entendre pour notre culture moderne, tant celle-ci semble se consacrer à nier totalement le péché et le mal. Mel Gibson souhaite montrer que le péché et le mal existent vraiment et que Satan est bien réel. Et que c'est seulement en participant humblement aux mérites gagnés par Notre Seigneur, seulement en regardant, ressentant et partageant sa souffrance et sa mort que nous obtiendrons la grâce, c'est-à-dire le don d'être, de nouveau, rendus dignes de partager la compagnie de Dieu.

C'est le don que Jésus Christ fait à tous les hommes et toutes les femmes : don qui ne dépend ni de la race ni de la croyance, don qui saisit celui qui s'en saisit. La responsabilité de sa mort repose sur la tête de chacun des enfants d'Adam et Ève. Et s'il y en a un qui peut être accusé d'avoir condamné Jésus, c'est celui qu'Il a appelé « meurtrier depuis le commencement », Satan.

Je crois que tout le monde doit voir ce film. Mais ne vous attendez pas à le regarder d'un œil neutre ou sans en être changé. Vous n'en ressortirez pas la même personne qu'avant : plus jamais vous ne serez dans l'incapacité de vous représenter l'étendue des souffrances de Notre Seigneur et l'indicible prix qu'Il a payé pour nous sauver. Et, par conséquent, vous ne pourrez plus jamais vous considérer comme innocent ou relativement peu responsable des événements de sa Passion.

C'est ce qui se dégage de la manière véritablement artistique dont Mel Gibson a traité sa production ; avec, en outre, une stupéfiante distribution et une époustouflante réalisation, qui élèvent ce film au niveau des plus grands jamais réalisés. Mais, plus important que tout, ce film est le produit de l'adhésion fidèle de Mel Gibson aux mots et à l'esprit de l'Évangile.

Un avertissement important doit être donné. Ce film n'est pas pour les enfants, et en disant cela, je pense particulièrement aux enfants qui ne sont pas encore en âge de faire face à l'expression brutale de la violence que des humains peuvent exercer sur d'autres humains et sur eux-mêmes. Il serait imprudent pour moi d'essayer de définir un âge précis, c'est une responsabilité que je considère être le privilège inaliénable des mères et des pères.

Par sécurité, je suggérerais qu'aucun enfant avant l'âge du lycée n'aille voir ce film, à moins que les parents, l'ayant vu d'abord, ne donnent leur consentement. En tout cas, les jeunes gens auront besoin des conseils d'hommes et de femmes plus âgés, ainsi que de prêtres et d'éducateurs de l'Église, pour amortir le choc de ce film.

La Passion est un enseignement, terrible à contempler et magnifique. Mais, en acceptant cet enseignement, et en l'intégrant dans notre propre vie, nous approfondirons notre foi dans le but suprême de la venue du Christ parmi les hommes : sa victoire sur la mort, notre mort, «... pour donner sa vie en rançon pour la multitude». Puisse ce film splendide, véritable cadeau de Dieu, nous aider à apprendre ce que nous avons besoin de savoir.

Mgr John F. Donoghue, Archevêque d'Atlanta
Extrait de sa Lettre sur le film «*La Passion du Christ*»,
aux catholiques de son diocèse.
10 Février 2004

INTRODUCTION

À ce jour, vous avez très probablement vu *la Passion du Christ*, ce film stupéfiant. J'espère sincèrement qu'il a touché votre cœur comme il a touché le mien et qu'il a suscité chez vous le désir d'en apprendre davantage sur cette histoire, bien connue mais souvent mal comprise, qui raconte les souffrances et la mort de Jésus et son triomphe sur la mort.

Ce film est sorti à peu près dix ans après ma propre reconversion à la foi catholique de mon enfance. L'expérience qu'il m'a fait vivre a non seulement raffermi ma foi, mais a aussi fait naître en moi un désir de partager ces trésors de la Foi catholique que j'ai découverts après ma longue errance dans le désert. Je souhaite que, pour vous, le chemin vers une connaissance complète de l'Évangile et une pratique fidèle soit plus direct que pour moi.

Ce film arrive à point nommé étant donné notre culture de divertissement, de plus en plus destructrice, et qui tend à nous empêcher de penser sérieusement aux Grandes Questions : *Qui suis-je ? – Comment suis-je arrivé ici ? – Que dois-je faire ? – Où vais-je ?*

L'un de nos réalisateurs les plus estimés campe Jésus directement devant nous, et nous sommes contraints de Le regarder et de nous situer par rapport à Lui. Et Il nous pose toujours cette même question qu'Il a posée à Simon Pierre il y a 2000 ans : « Qui dites-vous que je suis ? »

Ayant été impliqué dans la distribution et la promotion du film, j'ai vite remarqué la ferveur avec laquelle de nombreuses communautés protestantes se préparaient à utiliser le film pour l'évangélisation. On a vu surgir des sites Web proposant différents matériels à télécharger, sur Jésus et les évangiles. Des sociétés commerciales ont commencé à produire en série des affiches et des prospectus faisant la promotion du film. Une foule de tracts, décrivant le Christ comme clef de la paix et du bonheur, ont commencé à circuler.

Pour ce qui est de susciter des conversions et d'amener les gens à extirper le péché de leurs vies – ce qui est l'objet de la méditation de la Passion du Christ – nous pouvons nous inspirer de nos frères et sœurs évangéliques. Mais leur théologie est-elle capable de mettre au jour, de manière adéquate, de purs joyaux cinématographiques tels que ces flashes-back sur la Cène ou les thèmes profondément marials du film ? Les fondateurs de certaines des plus importantes confessions protestantes croyaient en la Présence réelle du Christ dans l'Eucharistie mais, dans leur immense majorité, les Protestants d'aujourd'hui l'ont oublié. Et à moins de comprendre que Marie est le modèle de la foi chrétienne véritable, on ne peut pas même commencer à comprendre l'importance de son rôle dans le film. Seule la plénitude de la foi catholique nous permet de saisir ces éléments essentiels qui figurent, de manière si ostensible, dans les Saintes Écritures, dans la Tradition apostolique et dans le film.

La Passion du Christ relie, de façon émouvante, le sacrifice de la croix et le sacrifice eucharistique de la Messe. Ce faisant, il décrit fidèlement l'enseignement de la Bible et celui de l'Église catholique. Cependant, pour de nombreux catholiques d'aujourd'hui, le lien eucharistique entre la Passion et la Messe ne paraît pas évident. En fait, d'après l'expérience du catholique obtus que j'étais il y a dix ans, disons seulement qu'il est hautement improbable que de tels liens sautent aux yeux, même pour ceux qui ont été élevés dans l'Église depuis leur naissance. Non pas que les liens n'existent pas, mais parce que nombreux sont ceux qui n'ont pas reçu une éducation à la Foi leur permettant de les *voir*. Ces liens, tout à fait réels, sont, en fait, tracés pour nous dans l'enseignement de l'Église. C'est pourquoi, à *CatholicExchange. com*, nous voyons le besoin de répondre par ce livre à quelques-unes des nombreuses questions essentielles à une pleine compréhension du christianisme authentique – questions que *la Passion du Christ* ne manquera pas de soulever.

Chacun de nous a une certaine perception de Dieu et de Sa voix qui parle à notre conscience. C'est la manière dont nous répondons à cette voix qui montre jusqu'à quel point nous sommes vraiment chrétiens. Il ne suffit souvent que d'une tragédie ou de la perte d'un proche pour basculer dans la prise de conscience, aiguë et pressante, de Dieu, de la raison pour laquelle Il nous a créés, et de ce à quoi il nous appelle. Puissent ce film et l'étude attentive de ce qu'il signifie, jouer le même rôle qu'une telle tragédie, et nous mettre sur la route d'un changement positif et d'une conversion authentique. Qu'il nous permette de cheminer vers la reconnaissance et la poursuite de la mission particulière que Dieu a prévue pour nous dès le commencement des temps. Et puissions-nous recevoir la grâce nécessaire pour l'accomplir.

La Passion du Christ est un signe de contradiction pour notre temps. Puisse-t-il être pour vous un signe de Dieu qui vous surprendra et vous mettra sur la voie. Et que ce livre soit la clef qui vous révélera son sens le plus profond et libérera toute la puissance du Christ dans votre vie.

Tom Allen
Éditeur et président
CatholicExchange. com
Le 10 février 2004

PREMIÈRE PARTIE

100 QUESTIONS *et* RÉPONSES

---

1. Que signifie le mot *Passion* dans le contexte de ce film ?

Passion veut dire *agonie* ou *souffrance*. En général, lorsqu'on parle de *La Passion du Christ*, il s'agit de la période qui commence avec le dernier repas que Jésus a pris avec ses douze apôtres (la dernière Cène), qui continue avec son agonie et la trahison dans le Jardin de Gethsémani, son procès devant Ponce Pilate, sa flagellation, le portement de la croix, et qui se termine avec sa crucifixion et sa mort. Le film couvre uniquement ces dernières heures de la vie de Jésus.

2. Où se passe la première scène du film ?

Dans le Jardin de Gethsémani, situé juste à l'extérieur de la ville de Jérusalem, au pied du Mont des Oliviers. Il y a aujourd'hui, dans ce jardin, plusieurs oliviers âgés de plus de 3000 ans – ils existaient donc au temps de Jésus et ce sont peut-être les arbres mêmes sous lesquels Il a prié. Le Jardin de Gethsémani est l'un des sites les plus visités de Terre Sainte.

3. Les Chrétiens parlent de *l'agonie de Jésus dans le Jardin.* Que veut dire cette expression et quelle est son importance ?

Les Chrétiens considèrent que la prière de Jésus dans le Jardin de Gethsémani était l'expression d'une intense souffrance spirituelle, émotionnelle et même physique. On croit généralement que Jésus, qui est pour tout chrétien le Fils de Dieu incarné (ou Dieu fait homme), savait quelle profonde souffrance – ou agonie – Il allait bientôt devoir endurer et que, comme tout être humain, il a été angoissé par cette perspective. Il a dit aux trois disciples qui L'accompagnaient : « Mon âme est est enveloppée de tristesse à en mourir » et a prié le Père en ces termes : *« S'il est possible, que cette coupe passe loin de moi ! Cependant, non pas comme je veux, mais comme tu veux. »* (Matthieu 26 : 38, 39).

4. Que veulent dire les mots *Dieu incarné* lorsqu'il s'agit de Jésus ?

Incarné veut dire « qui a pris chair ». Les Chrétiens croient que Dieu, à un moment donné du temps (vers l'an 4 avant Jésus-Christ), a pris chair humaine (non seulement un corps, mais aussi une âme). C'était une nature humaine réelle et complète, pas seulement une apparence humaine – pas un masque ni un « costume ». C'est le mystère de l'Incarnation et la raison pour laquelle les Chrétiens accordent une telle importance à la célébration de Noël et, de plus en plus, à celle de l'Annonciation – le moment où Dieu s'est fait homme en étant conçu dans le sein de Marie (Luc 1 : 26-38).

5. Avant d'aller plus loin, y a-t-il des preuves certaines que Jésus a vraiment existé et que les événements représentés dans le film ont réellement eu lieu ?

Oui, il y a de nombreuses preuves que Jésus a vraiment existé et que, dans l'ensemble, les événements représentés dans le film sont historiques. Aucun historien sérieux, pas même le plus séculier, ne met en doute l'existence de Jésus. Diverses sources laïques attestent de l'existence de Jésus et corroborent nombre des événements décrits dans les Écritures. (Pour plus d'information sur ce point, voir le chapitre *Bibliographie* à la fin de ce livre). La toute première source de preuves est, cependant, la Bible elle-même, qui est le livre le plus fantastique et le plus soigneusement scruté de toute l'histoire de l'humanité.

6. Comment le Nouveau Testament peut-il être historiquement exact quand il parle de la Passion ? N'a-t-il pas été écrit longtemps après ces événements ?

Dans le Nouveau Testament (la partie de la Bible qui relate la vie de Jésus et le commencement de l'Église), les écrits les plus anciens ont probablement été écrits moins de vingt ans après la mort et la résurrection de Jésus. Ce sont, en particulier, les lettres de Paul et elles s'adressent à des églises qui ont déjà entendu l'histoire de la Passion et de la Résurrection de Jésus. L'information contenue dans ces lettres montre que Paul et son auditoire partageaient une même connaissance des faits que nous retrouvons dans les Évangiles (qui n'avaient sans doute pas encore été écrits ou, du moins, pas entièrement).

Paul sait que Jésus est un Juif de la lignée du Roi David (Romains 1 : 3) ; que Jean Baptiste était son précurseur et avait rejeté toute prétention à être lui-même le Messie (Actes 13: 24-25) ; que ses principaux disciples étaient Pierre, Jacques et Jean (Galates 2:9) ; qu'Il a prédit son retour « comme un voleur » (1 Thessaloniciens 5:4) ; qu'Il a institué l'Eucharistie (1 Corinthiens 11:23-25) ; qu'Il a été rejeté par les dirigeants juifs (1 Thessaloniciens 2:15), qu'Il a rendu témoignage sous Ponce Pilate (1 Timothée 6:13) et a été crucifié pour nous (Galates 3:1) ; qu'Il a été mis au tombeau (Actes 13: 29) ; qu'Il est ressuscité d'entre les morts et que de nombreux témoins l'ont vu (1 Corinthiens 15:3-8) ; et qu'Il est monté aux Cieux (Éphésiens 4:9-10). Comment Paul sait-il tout cela ? Tout à fait de la même manière que vous-même avez connaissance de John Lennon ou de la présidence de Ronald Reagan. Parce qu'après vingt ans – ce qui n'est pas si long – il reste encore un tas de témoins que Paul connaît personnellement.

En fait, lorsque saint Paul s'adresse à l'Église de Corinthe, il fait bien comprendre qu'il y a eu plus de 500 témoins oculaires du Christ ressuscité et qu'une grande majorité d'entre eux est toujours en vie au moment où il écrit (à la fin des années cinquante). Et, bien sûr, Paul lui-même a vu le Christ ressuscité.

Les évangiles ont pu être écrits à une époque quasi contemporaine des lettres de Paul. Trois d'entre eux sont le produit de témoins oculaires des événements (Matthieu, Marc et Jean). L'Évangile de Luc a été écrit par un proche compagnon de Paul qui a eu de multiples fois l'occasion d'entendre le témoignage de gens qui avaient assisté aux événements décrits dans son évangile. Trouveriez-vous difficile de croire qu'il est possible, à quelqu'un qui n'était pas présent lors des événements, de décrire aujourd'hui, de manière exacte, l'administration du Président Kennedy, en utilisant diverses sources écrites et des entretiens avec des témoins oculaires ?

Bref, les évangiles sont des comptes rendus extrêmement fiables des événements relatifs au ministère du Christ, écrits assez peu de temps après les faits. De plus, ils se corroborent l'un l'autre de manière remarquable, tout en conservant ces sortes de différences auxquelles on s'attend de la part de témoins oculaires réels.

7. Alors, au Jardin de Gethsémani, Jésus savait qu'Il allait mourir ?

Oui. Puisque Jésus est Dieu omniscient, Il savait qu'Il allait mourir. Mais, parce qu'Il était aussi pleinement homme, Il a éprouvé une terrible angoisse à la perspective des tortures et de la mort qu'Il était sur le point de subir. Vous et moi, qui sommes des êtres humains, nous possédons une nature humaine. Jésus, qui était Dieu Incarné, avait deux natures : humaine et divine. Ainsi, par sa nature divine, Il savait certaines choses que Dieu seul peut savoir ; mais dans sa nature humaine Il a tout éprouvé comme nous – sauf le péché. Il a eu faim, Il a eu soif et Il a ressenti la douleur.

8. Au fait, pourquoi mettez-vous une majuscule aux mots « Il » et « Lui » quand il s'agit de Jésus ?

C'est par respect pour Jésus, personne divine – Dieu Créateur de l'univers.

9. Jésus a-t-il véritablement sué du sang pendant son agonie ?

D'après Luc, il semble que ce soit ce qui s'est passé : « se trouvant en agonie, il priait plus instamment, et sa sueur devint comme de grosses gouttes de sang qui tombaient à terre » (Luc 22:43-44). Un tel phénomène (connu sous le nom d'*hémathidrose*) n'est pas inconnu de la science médicale et a pu être observé chez d'autres individus sous le coup d'un stress mental, émotionnel et physique extrême. Jésus, angoissé parce qu'il savait ce qui allait arriver, a néanmoins prié pour que la volonté de son Père se fasse. Mais Il était réellement un être humain. C'est pourquoi Il a été écrasé sous le poids de tous les péchés – passés, présents et futurs – du monde entier, et le fardeau de ces transgressions pesait sur Lui si profondément qu'Il a bien pu en transpirer du sang.

10. Dans la scène du Jardin de Gethsémani, peu avant que les soldats ne viennent pour l'arrêter, nous entendons Jésus dire ces mots : « *Père, si tu le veux, éloigne de moi cette coupe* ». Qu'est-ce que cela signifie ?

Dans son humanité, Jésus demandait à Dieu le Père s'Il pourrait éviter la croix qu'Il allait bientôt embrasser. La « coupe » ce sont ses amères souffrances et sa mort. De fait, quand plus tard, certains ont prétendu que Jésus n'était pas pleinement homme, c'est ce texte qu'on a fait valoir pour prouver qu'Il avait véritablement une volonté humaine ; les humains ont naturellement le désir d'éviter la douleur et la mort. Cependant, en tant que Dieu, Jésus savait qu'il ne renoncerait pas. Il devait assumer une dette dont l'humanité n'aurait jamais pu s'acquitter. Il allait, dans un acte d'amour suprême, donner sa vie pour ses amis, pour nous. Les Écritures nous disent que Jésus a consenti à ce plan de rédemption *(« non pas ma volonté, mais la tienne »)* et que Dieu le Père a envoyé des anges pour le consoler dans son agonie.

11. Pourquoi Dieu le Père a-t-il exigé que Jésus prenne sur Lui d'aussi terribles souffrances physiques et émotionnelles ?

Dieu n'est pas un Père dur et autoritaire qui exige la souffrance de son Fils. Depuis Adam et Ève, les êtres humains ont librement érigé une muraille entre eux et Dieu, tout au long de siècles d'orgueil, de désobéissance et d'égoïsme. Jésus est venu *librement* dans le monde pour accomplir un acte d'humilité, d'obéissance et d'amour, si intense qu'il allait détruire cette muraille (Jean 10:18). Les forces du péché des hommes et la furie démoniaque se sont liguées pour projeter violemment sur Jésus toutes les punitions et tortures possibles afin de le détourner de sa mission. Mais en agissant ainsi, elles ont, sans le vouloir, prouvé la perfection de son amour et fourni à Jésus la Croix, instrument même du salut.

12. Le film montre trois autres hommes avec Jésus dans le Jardin. Qui sont-ils ?

Ce sont Pierre, Jacques et Jean, les trois Apôtres les plus importants, si on en juge par le nombre de fois où ils apparaissent dans l'Évangile et le nombre d'expériences capitales qu'ils ont partagées avec Jésus.

Pierre exerçait le métier de pêcheur. Il s'appelait Simon et Jésus lui a donné le nom de Pierre (*Kephas* en Araméen, *Petros* en grec). A l'incitation de son frère, André, et sur l'invitation de Jésus, Pierre est devenu disciple du Christ. Dans Matthieu 16:18, Jésus déclare qu'Il va bâtir l'Église sur Pierre, « la pierre », lui conférant ainsi une grande autorité. Les catholiques voient dans cet acte du Christ l'institution de Pierre comme chef des Apôtres, comme chef de l'Église – le premier Pape.

Jacques et Jean étaient frères et les fils de Zébédée. La Bible nous dit qu'ils étaient également pêcheurs. L'un des quatre évangiles, l'Apocalypse et trois des lettres du Nouveau Testament portent la signature de Jean.

13. Il y a un cinquième personnage dans le Jardin, j'ai compris plus tard qu'il représente le diable. Pourquoi de diable est-il présent dans le Jardin ?

Le diable est là pour tenter Jésus. En plaçant le diable dans le Jardin, le réalisateur reflète fidèlement l'Évangile de Luc. Trois des évangiles montrent Jésus tenté par le diable au désert, mais Luc 4 : 13 dit (après les tentations au désert) que « le diable s'éloigna de lui jusqu'au temps *marqué* ». Luc, qui nous en dit davantage sur les activités du diable que les autres évangiles, ne le cite plus jusqu'à la dernière Cène où on le voit influencer Judas. Et, dans Luc, Jésus dit aussi, au moment de son arrestation, que l'heure du « pouvoir des Ténèbres » est venue. Il est donc raisonnable de conclure que la Passion est le « temps marqué » pour le diable pour reprendre ses tentations.

14. Au cours de cette scène dans le jardin, le diable pose à Jésus une question : « Crois-tu vraiment qu'un homme puisse porter tout le fardeau du péché ? » Cela s'est-il réellement produit ?

Cette interrogation du diable n'apparaît pas dans l'Évangile, aussi avons-nous là l'exemple d'une licence créatrice que le cinéaste s'est permise. Cependant, d'après les autres situations, dans les Écritures, où Jésus est tenté par le diable, il est tout à fait plausible qu'un tel échange ait pu se produire. Le diable aime saisir de telles « occasions en or » pour saper notre détermination quand nous somme dans un état d'intense souffrance.

15. Première phrase du dialogue entre le Christ et le diable, dois-je comprendre par là que cette question sur *le fardeau du péché* est fondamentale pour l'ensemble de l'intrigue ?

Oui, cet échange présente, en réalité, ce qui fait tout le fond du film – le sens même des souffrances et de la mort de Jésus qu'Il avait le pouvoir d'éviter en tant que Dieu. Jésus s'est offert lui-même comme l'Agneau sans tache (c'est-à-dire sans péché) qui allait être sacrifié pour l'expiation des péchés de l'humanité.

16. Mais pourquoi fallait-il que Jésus meure ?

Comme nous l'avons déjà dit, la mort est la juste conséquence de notre péché, car en péchant, nous nous détournons de Dieu, Source de notre vie. Jésus a pris sur Lui les conséquences de notre péché (la mort).

Aussi horrible qu'ait été la mort de Jésus, il nous faut reconnaître une vérité fondamentale de l'existence humaine : l'amour authentique exige le sacrifice. L'amour implique le don total de soi. Aimer peut même signifier « donner sa vie pour ses amis » (Jean 15 : 13). Il y a donc une signification transcendante au sacrifice et à la souffrance. S'ils sont supportés pour le bien d'autrui, ils ont un rôle véritablement sanctifiant et salvifique. Dans un monde où l'on s'efforce d'éviter toute sorte de désagréments, cela semble ridicule. Mais ce n'est là qu'un des innombrables exemples de la manière dont les chemins de la Vérité vont à l'encontre des attentes de l'homme. Ce qui, d'ailleurs, a toujours été le cas. Les premières personnes à entendre l'histoire de Jésus ont été tout aussi frappées par son étrangeté que nous le sommes aujourd'hui. St Paul écrivait il y a 2000 ans : « En effet, le langage de la croix est une folie pour ceux qui périssent, mais pour nous qui sommes dans la voie du salut, il est une force divine » (1 Corinthiens 1 : 18).

17. Dieu n'aurait-il pas pu choisir simplement de déclarer que la relation entre l'humanité et Lui était restaurée ? Pourquoi a-t-il choisi un moyen aussi extrême et sanglant pour réconcilier le monde avec Lui ?

C'est, en fait, dans la souffrance que nous pouvons le mieux comprendre l'insondable amour de Dieu. L'idée selon laquelle Dieu révèle son amour pour nous par la Passion et la mort du Christ est clairement exprimée dans l'Évangile quand Jésus (après sa résurrection) révèle à ses disciples : « Ne fallait-il pas que le Christ souffre toutes ces choses pour entrer dans sa gloire ? » (Luc 24 : 26). Pourquoi ces souffrances était-elles nécessaires ? Afin de nous redonner ce que les premiers humains (Adam et Ève) avaient perdu par leur désobéissance. En désobéissant, ils ont péché contre la loi de Dieu et ils ont commencé à orienter leur amour vers différentes choses et vers eux-mêmes, plutôt que vers Dieu – alors que c'est Lui qui devrait avoir la première place dans le cœur de chacun. Ils ont perdu le privilège de la vie avec Dieu et, ce faisant, ils l'ont perdue pour nous aussi.

L'amour exige le don de soi, le sacrifice de nos désirs égoïstes pour le bien d'autrui. Après la Chute, les désirs humains sont devenus égocentriques et désordonnés. Notre rédemption par le Christ – en prenant sur Lui le fardeau du péché – a non seulement rétabli notre rapport avec Dieu, mais elle nous a appris aussi le vrai sens de l'amour : c'est-à-dire « sacrifice ». Les mots en eux-même ne coûtent pas cher. Mais c'est par des actions que nous prouvons notre amour. Comprendre qu'il faut souffrir pour aimer c'est commencer à connaître Dieu. Commencer à connaître Dieu c'est comprendre la vie.

18. Maintenant, je commence à comprendre. Le déroulement de la Passion du Christ n'a-t-il pas un rapport avec la Pâque Juive ?

Si et cela explique beaucoup de choses. Ceux d'entre vous qui sont familiers de la Bible (ou qui ont vu le film *les Dix Commandements*) se souviennent que Dieu a appelé Moïse pour faire sortir son peuple de l'esclavage en Égypte (Exode 3:4-10). Cet événement, qui remonte à environ 1200 ans avant la naissance de Jésus, est une clef pour comprendre la Passion du Christ, car celle-ci constitue l'accomplissement de la Pâque Juive.

Comme le dit l'Écriture, la nuit où les Hébreux ont été libérés de l'esclavage en Égypte, Dieu a envoyé l'ange de la mort frapper le premier-né de chaque famille. Le Seigneur a promis, cependant, que la mort « passerait » au-dessus de son peuple choisi s'ils mettaient le sang d'un agneau sur les montants de leurs portes ; et que ce sang les sauverait (Exode 11 et 12). Après plus de mille ans de commémoration par les Juifs de l'événement salvateur qu'est la Pâque (ou « passage »), Jésus s'est offert Lui-même comme l'ultime Pâque, révélant ainsi sa pleine signification : par son sang versé – le sang de l'Agneau de Dieu, sans tache et sans péché – le péché et la mort sont définitivement vaincus ; ils n'ont plus de pouvoir sur nous.

Cet événement de la Pâque, au moment de l'Exode, préfigure la mort du Christ sur la croix. Le sang de Jésus, « l'Agneau » parfait, allait être répandu sur la croix (le montant de porte) pour ses disciples. Tous ceux qui acceptent le Christ et gardent ses commandements sont sauvés par son sang ; la mort « passe » au-dessus d'eux, car ils ont la vie éternelle. C'est exactement pour cela que Jésus a commencé sa propre Passion en célébrant la Pâque avec ses disciples : il a transformé celle-ci en Eucharistie, le repas au cours duquel nous recevons maintenant son Corps, sous la forme du pain, et son Sang, sous la forme de vin, qui nous sauve de la mort éternelle.

19. Est-ce la raison pour laquelle il y a autant de sang dans ce film ?

Oui. Le sang est la clef pour comprendre le sacrifice de Jésus, l'Agneau qui enlève le péché du monde. De même que le sang est versé quand un soldat donne sa vie pour son pays ou quand une mère donne naissance à son enfant, de même l'amour-sacrifice conduit souvent à verser son sang. Ce n'est pas par hasard que la Passion du Christ a eu lieu précisément au moment de la Pâque juive. C'est l'un des nombreux exemples d'accomplissement des prophéties de l'Ancien Testament, et c'est fondamental pour comprendre comment Dieu agit tout au long de l'histoire pour sauver l'humanité.

20. Revenons au dialogue entre Jésus et le diable, dans le Jardin. Le diable déclare que le prix à payer pour sauver les âmes est trop élevé. Qu'entend-il par là ?

Il s'agit simplement d'une vaine tentative du diable pour dissuader Jésus d'accepter la croix et d'accomplir sa mission. Il dit à Jésus que cette somme de souffrances qu'il Lui faut supporter c'est trop cher payer.

Ayant rejeté Dieu, le diable nourrit assurément une immense haine envers le Créateur. Nous savons également par les Écritures qu'il a l'intention de mener une guerre spirituelle contre l'humanité, création spéciale de Dieu. Nous lisons dans la Genèse : « Je mettrai une hostilité entre toi et la femme, entre ta descendance et sa descendance » (Genèse 3 : 15). Et dans cette hostilité il y a le désir de faire perdre aux humains leur salut. C'est pourquoi il a fait tout son possible pour décourager Jésus et l'empêcher d'accomplir sa mission salvatrice.

21. Le diable lâche un serpent dans le Jardin de Gethsémani et Jésus l'écrase sous son pied. Quel est le symbole ?

Comme ce geste n'est pas mentionné dans l'Évangile, il s'agit, de nouveau, d'une licence artistique prise par le réalisateur pour produire un effet dramatique. Cependant, le *symbolisme* du geste de Jésus est fondé sur les Écritures. Dans le livre de la Genèse, Dieu révèle que « la descendance de la femme » (qui désigne à la fois l'humanité et, en fin de compte, Jésus, « le Fils de l'Homme » représentant tous les Hommes) « écrasera la tête » du serpent (Genèse 3 : 15). Jésus est le « nouvel Adam » (1 Corinthiens 15 : 22), qui restaure ce que le premier Adam a perdu par le péché. Ainsi cette scène, où Jésus écrase le serpent, préfigure la victoire du Christ sur le diable et sur le péché et la mort, par sa souffrance, sa mort et sa résurrection.

22. Dans le film, le diable est-il censé personnifier un être spirituel réel ou est-il simplement une représentation symbolique *du mal* dans le monde ?

Loin d'être une quelconque personnification abstraite « du mal », le diable est un être spirituel réel, un ange déchu (ou démon). Cette idée peut paraître bizarre ou démodée pour nos oreilles modernes, mais l'Église catholique a toujours enseigné que le diable est un être réel doté d'une détermination et d'une intelligence redoutables. Étant un pur esprit, il n'est pas soumis aux lois du monde physique. Ses capacités intellectuelles naturelles surpassent de loin celles des humains. La Bible ainsi que la Tradition de l'Église enseignent que le diable (aussi appelé Satan, c'est-à-dire « l'adversaire » – ou Lucifer, « porteur de lumière ») était le plus glorieux des anges, mais l'orgueil et l'envie l'ont poussé, et d'autres anges avec lui, à se rebeller contre Dieu. En conséquence de cette rébellion, Satan et les autres anges déchus (les démons) ont été rejetés hors de la présence de Dieu ; une séparation qui durera toute l'éternité.

Étant donné le rejet de Dieu par le diable, nous pouvons en déduire qu'il est dévoré de haine envers Dieu et envers ceux qui ont été faits à son image, les humains. Satan, donc, est sûrement animé d'un désir implacable de nous voir, vous et moi, perdre nos âmes et être séparés, pour l'éternité, du Dieu qui nous aime. Dans le film et, en particulier, dans la scène du Jardin, son but est de faire échouer la mission du Christ sur la terre, une mission d'amour, de vérité et de salut.

23. J'ai entendu des gens, et même des enseignants chrétiens, expliquer que Satan n'est pas réel.

Croire à l'existence du diable peut sembler dépassé pour ceux qui sont soi-disant « éclairés », mais c'est une grave erreur. Comme le signale C.S. Lewis dans *La Tactique du Diable,* ce refus, largement répandu, de croire à l'existence de Satan est, en réalité, une ingénieuse invention du Mauvais. S'il arrive à convaincre les hommes qu'il n'existe pas – qu'il est aussi « réel » que le Père Fouettard – alors ils ne se méfieront pas de lui. Et si nous ne sommes pas sur nos gardes, nous allons presque certainement tomber dans ses pièges. Parce qu'en réalité, ce qu'il désire désespérément c'est notre âme.

Dans l'Écriture, Jésus fait souvent référence au diable. Par exemple, dans Matthieu 25 : 41, Il condamne ainsi ceux qui refusent de faire sa volonté et d'aimer leur prochain : « Allez loin de moi, maudits, dans le feu éternel qui a été préparé pour le diable et ses anges ». Par ces mots, Jésus unit la destinée de ceux qui refusent de faire sa volonté, à celle du diable, c'est-à-dire l'enfer. L'apôtre Jean montre clairement, dans sa première lettre, quelle est la mission essentielle de Jésus : « C'est pour détruire les œuvres du diable que le Fils de Dieu est apparu » (1 Jean 3 : 8).

24. Puisque nous parlons du diable, pourriez-vous me définir ce qu'est *le péché*.

On appelle péché une action accomplie librement, contraire à la loi morale.

25. Pourquoi faire si grand cas du péché ?

Tout d'abord, parce que Dieu, qui est notre Créateur et un Père aimant, mérite tout notre amour, notre respect et notre obéissance. Mais Lui n'a pas vraiment besoin de notre obéissance, c'est nous qui en avons besoin. Car Il nous aime plus que nous ne nous aimons nous-mêmes et Il nous connaît mieux que nous ne nous connaissons nous-mêmes. Alors, chaque fois que nous lui disons « Non » et refusons sa volonté, c'est à nous-mêmes et aux autres que nous faisons du mal. Certains péchés, appelés véniels, affaiblissent notre relation avec Dieu, mais le péché mortel, lui, rompt cette relation. La relation est restaurée lorsqu'on se détourne du péché et qu'on recherche sa grâce.

26. Pourquoi y a-t-il tant de péchés et d'opposition à Dieu ?

À cause du péché de nos premiers parents (*le péché originel*), nous héritons d'une humanité blessée par une tendance naturelle au péché. Mais cela n'explique pas tout. Satan est maître en publicité mensongère. Il donne au péché une apparence fascinante et désirable, tout comme il l'a fait au Jardin d'Eden (Genèse 3). Il essaye de nous convaincre que ce n'est pas parce qu'elles nous sont nuisibles que Dieu interdit certaines choses, mais parce qu'elles nous rendraient semblables à Lui ; il prétend donc que Dieu ne veut que nous opprimer et nous maintenir sous sa coupe comme des subalternes. C'est pourquoi Satan fait passer le péché pour une libération alors qu'il est toujours exactement l'opposé, un asservissement. Nos premiers parents s'y sont laissés prendre et nous aussi.

Les péchés des hommes sont enracinés dans l'orgueil, la colère, l'envie, l'avarice, la luxure, la gourmandise et la paresse, autrement dit « les sept péchés capitaux ». Autant il peut être difficile de choisir la bonne route, autant les mauvais choix de ce monde peuvent parfois être très attirants. Tout cela remonte à la chute de Lucifer, « l'Ange de Lumière » – le diable – qui s'est rebellé contre Dieu et a établi son royaume sur la terre. Dieu a, par la suite, donné à chacun la liberté de faire son choix entre sa voie de vérité, de générosité et de lumière et la voie de mensonge, d'égoïsme et d'obscurité proposée par le diable.

27. Si le péché est un sujet aussi grave, pourquoi ne nous en parle-t-on pas davantage ?

Nous vivons aujourd'hui dans une société permissive qui a fait du péché une vertu. Il y a les voies de Dieu et il y a les voies du monde – deux façon de vivre très différentes, pour l'humanité. Les médias véhiculent souvent le message implicite que « tout va bien » et que le péché « n'est pas si grave ».

28. Je me suis rendu compte, après coup, que la personne qui embrasse Jésus dans le Jardin est Judas, l'un des Apôtres. Pourquoi a-t-il trahi Jésus ?

Judas était motivé par l'argent (Jean 12:6), et, de plus, il semblait s'attendre à ce que Jésus soit différent, une sorte de Messie temporel qui libérerait Israël du joug des oppresseurs romains. Après avoir été témoin des miracles de Jésus, il est possible que Judas ait cru en sa divinité, ou, du moins, qu'il ait pris conscience que c'était un prophète. On a pensé parfois que Judas avait livré Jésus aux autorités pour Lui forcer la main – pour l'obliger à exercer son autorité afin de rendre à la nation juive sa gloire terrestre.

29. Qui était Judas ?

En fait, l'Écriture nous en dit peu sur lui, outre son nom (Judas Iscariote) et son rôle de trésorier des Apôtres. Après avoir trahi Jésus, il a été saisi de remords et il s'est pendu.

« Iscariote » signifie « poignard », nom intéressant à la lumière du rôle qu'il a joué en trahissant Jésus – littéralement en « Le poignardant dans le dos ». On pense aussi que sa famille était originaire de Keriot, ville du sud de la Judée.

D'après ce que l'Évangile dit de Judas, nous pouvons définir en quelque sorte son profil psychologique. Il semble qu'il était très intéressé par les choses « du monde » comme le pouvoir et l'argent. Il a reproché à Marie de Béthanie d'avoir utilisé un parfum onéreux pour oindre les pieds de Jésus, en protestant que cet argent aurait dû être utilisé pour les pauvres. Judas jouait également le rôle de trésorier pour les disciples et l'Évangile nous apprend qu'il volait de l'argent dans la bourse (Jean 12:6).

Il semble que Judas ait été saisi de remords après sa trahison car, comme on le voit plus tard plus tard dans le film, il jette sur le sol du Temple les trente pièces d'argent reçues pour livrer Jésus (Matthieu 27: 5). Il dit même aux prêtres et aux scribes avec lesquels il a collaboré : « j'ai péché en livrant un sang innocent » (Matthieu 27: 4). Cela montre que Judas n'était pas totalement dénué de conscience. Cependant, ce remords n'a pas été suivi de la vertu d'espérance, l'espérance d'être pardonné. Et l'Évangile révèle qu'après avoir jeté les trente pièces d'argent dans le Temple, il se retira et alla se pendre (Matthieu 27 : 5). Il aurait pu devenir un grand saint s'il s'était ressaisi après son péché, comme Pierre. Au contraire, il a désespéré de la miséricorde de Dieu et choisi la mort.

30. Une scène de bagarre, dans le Jardin, entre les gardes du temple et les disciples de Jésus fait suite à la trahison de Jésus par Judas. Pierre tranche l'oreille de l'un des gardes avec son glaive et celui-ci est émerveillé de la manière dont Jésus le guérit. Est-ce réellement arrivé ?

L'Évangile nous parle de la bagarre, de la blessure et de la guérison par Jésus (Matthieu 26: 51 et Luc 22:51). Elle ne dit rien toutefois, du chemin spirituel que semble vivre le garde blessé.

Cet ajout dans le film constitue une liberté artistique qui n'est cependant que très logique. Cette bagarre a sont doute été rapide et violente. Imaginez que vous êtes le garde du Temple. Vous ressentez la vive douleur du glaive qui vous tranche l'oreille. Vous y portez immédiatement la main et vous sentez la chair détachée et le sang. Choqué, vous avez peine à y croire. Et voilà que, soudain, l'homme que vous êtes venus arrêter, sereinement, vous touche l'oreille et la guérit.

C'est pourquoi, la décision du réalisateur de laisser le garde assis, l'air ébahi par ce qui vient de se passer, est très forte et, d'un point de vue dramatique, très « juste ». On peut voir dans les yeux du garde l'étonnement avec lequel il contemple ce Jésus. Il n'est pas invraisemblable que ce garde du Temple, comme d'autres plus tard dans l'histoire, ait vécu une sorte de conversion après avoir été guéri par le Christ.

31. Après que Pierre a coupé l'oreille du garde, Jésus lui commande de rengainer son glaive avec les paroles bien connues : *Remets ton glaive à sa place, car tous ceux qui prennent le glaive, périront par le glaive.* Jésus a-t-il vraiment dit cela ?

Oui. Ces paroles bien connues se trouvent dans Matthieu 26 : 52. Outre leur signification immédiate, que l'on risque une mort violente si l'on pratique habituellement la violence, elles constituent un avertissement plus profond : on risque son âme immortelle si on viole le commandement « Tu ne tueras pas ».

32. Qui est le groupe de dirigeants juifs qui payent Judas pour trahir Jésus ?

Il s'agit du Sanhédrin, le conseil des dirigeants juifs composé de prêtres, de scribes et d'anciens. Ces groupes n'étaient pas toujours d'accord, chacun avait ses propres préoccupations. Mais, dans l'ensemble, ils se sont accordés à dire que Jésus était dangereux et qu'Il devait être réduit au silence parce qu'Il menaçait leur pouvoir sur le peuple et auprès des Romains. Le chef du conseil était le grand prêtre. Le grand prêtre du moment, qui s'appelait Caïphe, a joué un rôle clé en persuadant le conseil de condamner Jésus.

33. Pour quels motifs le Sanhédrin voulait-il se débarrasser de Jésus ?

Ils avaient plusieurs motifs. D'abord, l'Évangile révèle qu'il y avait quelque jalousie de la part des dirigeants religieux. Jésus était un prédicateur itinérant et indépendant des autorités établies. De plus, ils étaient sans doute effrayés d'entendre dire que Jésus opérait des miracles incroyables, guérisons d'aveugles et résurrections de morts, mais aussi qu'il dénonçait l'hypocrisie des scribes et des Pharisiens. Dans certains cas, aussi, les actions de Jésus semblaient contredire ce qu'ils avaient compris de la Loi, comme lorsqu'Il guérit un homme le jour du Sabbat. Bref, sa popularité menaçait leur rôle de chefs des Juifs.

Le plus important, cependant, c'est que Jésus avait fait savoir, en termes très clairs, qu'Il était le Fils de Dieu – un blasphème inouï pour le Sanhédrin. Il avait prétendu, par exemple, pardonner les péchés. Non seulement les péchés contre Lui, mais tous les péchés. Il s'était attribué le nom de Dieu (« JE SUIS ») en disant : « Avant qu'Abraham ne vienne à l'existence, JE SUIS ! » (Jean 8 : 58). Il avait dit qu'Il reviendrait à la fin des temps pour juger le monde. Il avait accepté des titres messianiques comme « Fils de David, » « le Fils de l'Homme, » et « Christ, Fils du Dieu Vivant ». Ces paroles et ces actes ont certainement provoqué de houleux débats entre Jésus et les chefs religieux juifs. Et cela a inévitablement conduit à une réunion du Sanhédrin où il a été conclu que les actions de Jésus provoquaient de l'agitation dans le peuple et que cela risquait d'amener les Romains à les remplacer eux, les chefs, et à réprimer davantage la nation juive. C'est Caïphe qui énonça leur résolution en ces termes : « il est de votre intérêt qu'un seul homme meure pour le peuple et que la nation ne périsse pas toute entière » (Jean 11 : 50).

Un tel jugement semble presque raisonnable, vu la sévère oppression de l'autorité Romaine, si l'on fait abstraction, bien sûr, du fait que l'on condamnait un innocent – un homme qui avait prouvé, à plusieurs reprises, par les miracles qu'Il avait accomplis, qu'Il était le Fils de Dieu.

34. Ce film a soulevé la controverse dans certains milieux en raison de l'image qu'il donne des dirigeants juifs. Les catholiques croient-ils que le peuple juif porte la culpabilité collective de la mort de Jésus ?

Absolument pas. L'enseignement officiel de l'Église catholique concernant la question « Qui est responsable de la mort de Jésus ? » est clair et sans équivoque. Certains Chrétiens mal informés (dont, malheureusement, quelques catholiques) soutiennent la position que « les Juifs sont collectivement responsables de la mort de Jésus » et qu'ils sont les seuls à blâmer. Cette position a été clairement désavouée par le Concile Vatican II : « Ce qui a été commis durant la Passion ne peut être imputé ni indistinctement à tous les Juifs vivant alors, ni aux Juifs de notre temps... Les Juifs ne doivent pas être présentés comme réprouvés par Dieu, ni maudits, comme si cela découlait de la Sainte Écriture. » (*Catéchisme de l'Église catholique*, paragraphe 597).

Pour comprendre qui est *vraiment* responsable de la mort de Jésus, l'Église dit que le meilleur moyen pour chacun est de se regarder dans le miroir. *Le Catéchisme* dit (paragraphe 598) :

«... L'Église n'a jamais oublié que « les pécheurs eux-mêmes furent les auteurs et comme les instruments de toutes les peines qu'endura le divin Rédempteur ». Tenant compte du fait que nos péchés atteignent le Christ Lui-même, l'Église n'hésite pas à imputer aux chrétiens la responsabilité la plus grave dans le supplice de Jésus, responsabilité dont ils ont trop souvent accablé uniquement les Juifs :

> Nous devons regarder comme coupables de cette horrible faute, tous ceux qui continuent à retomber dans leurs péchés. Puisque ce sont nos crimes qui ont fait subir à Notre Seigneur Jésus-Christ le supplice de la croix, ceux qui se plongent dans les désordres et dans le mal « crucifient de nouveau dans leur

> cœur, autant qu'il est en eux, le Fils de Dieu et Le couvrent de confusion » (He 6:6). Et il faut le reconnaître, notre crime à nous dans ce cas est plus grand que celui les Juifs. Car eux, au témoignage de l'Apôtre, « s'ils avaient connu le Roi de Gloire, ils ne l'auraient pas crucifié » (1 Co 2:8). Nous, au contraire, nous faisons profession de Le connaître. Et lorsque nous Le renions par nos actes, nous portons en quelque sorte sur Lui nos mains meurtrières ». (CCC 598)

En fait, cet enseignement n'est d'ailleurs pas une nouveauté ni une invention de l'Église des années soixante. La preuve ? La citation ci-dessus, qui apparaît aussi dans *le Catéchisme*, est tirée des documents du Concile de Trente (vers le milieu du 16e siècle). La citation suivante, elle, est de St François d'Assise, au 13e siècle, et elle s'adressait aux chrétiens, pas aux Juifs : « Et les démons, ce ne sont pas eux qui L'ont crucifié ; c'est toi qui avec eux L'as crucifié et Le crucifies encore, en te délectant dans les vices et les péchés ».

Bref, ce sont tous les enfants pécheurs d'Adam et Ève, qui portent la responsabilité de la mort du Christ. Si des Chrétiens antisémites accusent les Juifs seuls de la mort de Jésus, c'est comme s'ils disaient : « Jésus n'est pas mort à cause de mes péchés, Il est mort à cause de ces gens-là. » Et il est absurde pour un Chrétien de dire cela. La vérité, telle que l'a toujours enseignée la Foi Catholique, c'est que « tous les pécheurs sont les auteurs de la Passion de Christ. »

35. Le réalisateur a fait *des flashes-back* pour montrer les liens entre la Passion et d'autres aspects de la vie de Jésus. Le premier retour en arrière montre Jésus charpentier, vivant chez lui avec sa mère. Quel était l'intention du réalisateur en créant cette scène ?

En plus d'apporter quelque répit dans ce moment de tension croissante, la scène montre l'humanité de Marie et la divinité de Jésus, toutes deux illustrées dans le commentaire de Marie, disant que les tables hautes (comme celles que nous utilisons quotidiennement chez nous) ça ne marchera jamais !

Cette émouvante scène d'échange affectueux entre Jésus et Marie nous aide à réfléchir à ce fait merveilleux que Jésus a probablement vécu les trente premières années de sa vie avec sa mère. Il était une Personne divine, et cependant, Il a été pleinement « homme » dans sa manière de vivre. Il mangeait, Il a travaillé comme charpentier, Il avait, comme tout le monde, un environnement social, des voisins, de la famille, des amis. Il a ri et, sans aucun doute, plaisanté avec sa mère, comme le montre la scène où ils s'éclaboussent l'un l'autre. Lorsqu'on voit Marie manifester très normalement son affection maternelle envers Jésus, on se rend mieux compte de la profonde douleur qu'elle a dû éprouver en assistant à sa Passion.

36. Quand le film revient au présent – c'est-à-dire au début de la persécution de Jésus par les Romains – nous voyons Marie dire résolument : « Cela commence, Seigneur. Ainsi soit-il ». Marie savait-elle vraiment ce qui était sur le point d'arriver à son Fils ?

Marie était une femme juive fidèle et elle était aussi la Vierge à qui l'ange Gabriel est apparu, c'est pourquoi elle était très au fait des prophéties messianiques. Alors que ni les disciples de Jésus ni les autres Juifs ne pensaient que le Messie aurait à souffrir pour régner dans la gloire, la connaissance que Marie avait des souffrances de Jésus venait probablement de sa réflexion sur la prophétie particulière qu'elle et Joseph avaient reçue lors de la présentation de Jésus au Temple. Le prophète Siméon lui avait dit : « un glaive transpercera ton âme » (Luc 2:35). C'était clairement lui prédire la douleur qu'elle allait éprouver à cause de l'œuvre rédemptrice de son Fils.

37. Pourquoi Joseph, le père de Jésus, n'apparaît-il pas dans le film ?

Peut-être que, si le réalisateur avait choisi d'inclure un autre retour en arrière sur l'enfance de Jésus, nous aurions pu apercevoir Joseph. Mais le fait est qu'on n'entend plus parler de Joseph dans l'Évangile après le recouvrement de Jésus au Temple, à l'âge de douze ans. La plupart des spécialistes croient que Joseph était mort au moment où Jésus a commencé sa mission, ce qui paraît probable du fait que Jésus a confié sa mère aux soins de l'apôtre Jean.

38. Pourquoi nous montre-t-on Claudia, la femme de Pilate, aussi préoccupée du sort de Jésus ?

Il y a probablement deux explications. Premièrement, il y a de sérieuses raisons de croire qu'elle était « secrètement » chrétienne. Pilate, bien sûr, devait être au courant, mais sans doute à peu près personne d'autre à part lui. Deuxièmement, elle fait preuve de compassion (ou au moins de sagesse) quant à la question de la crucifixion du Christ. Dans l'Évangile, elle avertit son mari, « Qu'il n'y ait rien entre toi et ce juste, car j'ai été aujourd'hui fort tourmentée en songe à cause de lui ! » (Matthieu 27 : 19).

39. Quand Jésus est amené devant Caïphe et le conseil des anciens, Il est finalement accusé de « blasphème ». Qu'est-ce que le blasphème ?

Selon le Catéchisme de l'Église catholique, le blasphème « s'oppose directement au deuxième commandement. Il consiste à proférer contre Dieu – intérieurement ou extérieurement – des paroles de haine, de reproches, de défi, à dire du mal de Dieu, à manquer de respect envers Lui dans ses propos, à abuser du nom de Dieu » (CEC n. 2148). Le commandement contre le blasphème interdit aussi de parler en mal de l'Église, des saints ou des choses sacrées. Le blasphème est un péché grave.

40. Le blasphème était-il vraiment puni de mort ? Cela semble extrêmement sévère.

La punition pour avoir blasphémé le nom de Dieu, c'est-à-dire la mort par lapidation, se trouve dans le Lévitique (Lévitique 24 : 16). Cette loi a été écrite au temps de Moïse alors que certains Israélites avaient adoré un veau d'or au lieu de reconnaître le vrai Dieu qui les avait miraculeusement fait sortir de l'esclavage en Égypte.

À cause de l'occupation romaine, il n'était pas permis aux autorités juives d'appliquer la peine de mort. C'est pourquoi Jésus a été amené au gouverneur Romain, Ponce Pilate. (Il est intéressant de noter que Caïphe a insisté pour obtenir une sentence de *crucifixion*, plutôt que la lapidation. Cela laisse penser qu'il ne souhaitait pas tant voir Jésus condamné selon la Loi que se débarrasser de Lui par tous les moyens.)

41. L'un des hommes témoignant contre Jésus soutient qu'Il a prétendu être « le pain de vie », parlant à plusieurs reprises de manger sa Chair et boire son Sang. Où cela se trouve-t-il dans l'Évangile ?

Ceci fait référence au long discours de Jésus, au chapitre 6 de l'Évangile de Jean, où Il se présente comme « le Pain de Vie » (Jean 6:48) et dit : « si vous ne mangez la chair du Fils de l'Homme et ne buvez son sang, vous n'aurez pas la vie en vous » (Jean 6:53). A la suite de cette déclaration, nombre de ses disciples ont cessé de le suivre. Il est intéressant de noter que Jésus n'a pas empêché ces disciples de le quitter. Il ne les a pas rappelés, en disant : « Hé, attendez. Ce que j'ai dit n'était pas à prendre au pied de la lettre, il fallait le prendre dans un sens symbolique ». S'Il les a laissés partir c'est bien parce que ses paroles étaient à prendre *littéralement*.

Les catholiques, les orthodoxes et quelques églises protestantes reconnaissent que Jésus a parlé de cette manière pour être compris dans un sens littéral, à savoir, qu'Il allait se donner lui-même comme nourriture spirituelle, à ses disciples. Mais cette nourriture allait nous être donnée sous l'humble forme du pain et du vin. Jésus a confirmé cet enseignement, le soir du Jeudi Saint, juste avant d'être trahi, quand au cours de la dernière Cène, Il a pris le pain, l'a béni, l'a rompu et l'a donné à ses disciples, en disant : *Prenez, ceci est mon corps*. Puis prenant une coupe, il rendit grâce et la leur donna, et ils en burent tous. Et Il leur dit : *Ceci est mon sang, celui de l'Alliance, répandu pour la multitude* (Marc 14:22-24).

Au premier abord, cet enseignement paraît étrange (« si vous ne mangez ma chair »). Mais c'est quand on en saisit le contexte, qu'il prend tout son sens. Vous vous souvenez que la Pâque juive était célébrée parce que l'ange de la mort envoyé par Dieu, au temps des dix plaies d'Égypte, « passait au-dessus » de chaque foyer hébreu où le sang de l'agneau avait été aspergé sur les montants de la porte. Ce qui est moins connu, cependant, c'est que chaque famille, qui avait tué l'agneau et aspergé de son sang le montant de porte, devait également *manger* l'agneau. Pour accomplir le sacrifice Pascal, il fallait manger l'agneau qui avait été immolé. Jésus est l'Agneau parfait. Pour prendre pleinement part à son sacrifice sur la croix, les Chrétiens sont invités à se nourrir de l'Agneau de Dieu qui est le Pain de Vie.

42. Au cours de ce simulacre de procès, deux dirigeants juifs semblent prendre la défense de Jésus. Qui sont ils ?

Bien qu'ils ne soient pas nommés dans le film, ils s'agit probablement de Nicodème et de Joseph d'Arimathie. Tous deux sont mentionnés dans les évangiles : ils étaient favorables à Jésus, se reconnaissant comme ses disciples, mais secrètement, par crainte des autres membres du Sanhédrin. Nicodème est, en fait, venu trouver Jésus de nuit pour lui poser des questions (Jean 3). Nous voyons l'autre homme, Joseph d'Arimathie, au moment où Jésus est descendu de la croix. Ce riche disciple de Jésus a offert son tombeau pour y ensevelir Jésus.

43. Jésus était-il vraiment coupable de blasphème ?

Jésus a répondu aux questions des chefs des prêtres et des scribes en leur demandant de Le juger d'après son enseignement public. Mais quand le grand prêtre l'affronte en lui posant carrément la question : *« Es-tu le Christ, le Fils du Dieu béni ? »*, Jésus déclare expressément qu'Il est, véritablement, le Fils de l'Homme et, ce qui est plus choquant encore, Il s'attribue délibérément le Nom de Dieu (« JE LE SUIS et vous verrez le Fils de l'Homme siégeant à la droite du Tout-Puissant et venir avec les nuées du ciel » [Marc 14 : 62]). Le grand prêtre, en entendant ces mots, déchire ses vêtements et déclare qu'Il a blasphémé. Cependant, le blasphème n'aurait dû être invoqué que si Jésus avait menti ! En fait, ils avaient devant eux Dieu Incarné – tout comme la Vérité en personne se tenait devant Pilate – et ils ne L'ont pas reconnu.

44. Aujourd'hui on prononce souvent en vain le nom de Dieu. Est ce un blasphème ?

Pas exactement ; du moins, pas dans la plupart des cas. Mais même si prononcer le nom de Dieu en vain n'est pas à proprement parler un *blasphème*, le deuxième commandement nous interdit d'user du nom de Dieu sans la plus grande révérence (cf. CEC n. 2146). Bien que notre culture blasée n'y attache aucune importance de nos jours, nous pouvons être certains que Dieu était sérieux lorsqu'Il nous a donné ce commandement.

45. Selon la Bible, les reniements de Pierre ont eu lieu pendant qu'il se réchauffait auprès du feu, ce qui semble être une scène plutôt tranquille. Pourquoi cette scène est-elle représentée de façon aussi différente dans le film ?

C'est un exemple de liberté créatrice prise par le réalisateur afin de donner davantage de corps à l'émotion suscitée par le drame qui se joue en Pierre, le chef des disciples et le futur chef de l'Église.

46. Pourquoi le réalisateur a-t-il choisi de montrer Pierre se jetant aux pieds de Marie et s'écriant : *« Je l'ai renié, Mère ! »* ?

Il a probablement eu ici l'intention de représenter ce qu'enseigne la Foi catholique en disant qu'il est concevable de faire appel à la Mère de Jésus quand on a offensé Dieu. Au temps des Rois d'Israël et de Juda, la Reine Mère avait véritablement du pouvoir et de l'influence. Maintenant, il est éminemment raisonnable de faire appel à la Mère de notre Roi, car leurs deux cœurs sont très étroitement unis.

47. Il y a une scène au cours de laquelle Marie pénètre dans un lieu où elle trouve Jésus attaché à la voûte en dessous d'une chaussée de pierre[1]. Quelle est la signification profonde de cette scène ?

On peut imaginer que le réalisateur cherche à représenter par cette image le lien éternel qui unit Jésus et sa mère. Jésus, le Messie et accomplissement de l'ancienne prophé-

1. Voir question n°84.

tie, et Marie, qui s'est abandonnée à la volonté de Dieu de la naissance à la mort de Jésus, sont unis de façon permanente.

48. Est-ce aller trop loin que de supposer que Marie a participé activement à la Passion du Christ ?

Pas du tout. Selon l'Évangile, Marie était présente à certains des miracles de Jésus et elle a, en fait, contribué à inaugurer son ministère public en lui demandant, aux Noces de Cana, de fournir du vin aux hôtes, vraisemblablement dans l'embarras (Jean 2). La tradition veut qu'elle ait rencontré Jésus sur le chemin du Golgotha (où Il a été crucifié) et l'Écriture nous la montre aussi, avec Marie Madeleine et saint Jean, au pied de la croix.

49. Pourquoi est-ce que des enfants démons entourent Judas dans son tourment ?

C'est encore un procédé ingénieux du réalisateur. En représentant d'une manière aussi distordue et terrifiante quelque chose d'aussi innocent que de jeunes enfants en train de jouer, il souligne les conséquences du péché qui déforme notre perception du bien, du vrai et du beau. Ceci a une signification particulièrement importante aujourd'hui où la société moderne, avec son égoïsme invétéré, en est arrivée à considérer les enfants comme un fardeau et non plus comme un trésor, comme une malédiction plutôt qu'une bénédiction.

50. Je présume que les soldats étaient des soldats romains. S'il en est ainsi, quels étaient leurs rapports avec les dirigeants juifs ?

Voici un aperçu de la situation politique : les Romains avaient conquis cette partie du monde environ deux cents ans auparavant. C'était loin d'être une partie importante de l'Empire Romain, comme nous le voyons dans le film, lorsque Ponce Pilate se plaint d'y avoir été en poste pendant onze longues années ! Une certaine hostilité existait entre Pilate, gouverneur romain du territoire de Judée, et les dirigeants Juifs. La menace d'émeutes était un souci qui maintenait l'élite du Temple en état d'alerte. Pilate subissait la pression de César, à Rome, pour maintenir la paix. Étant donné que les Juifs s'attendaient à ce que le Messie, annoncé dans leurs Écritures, soit un chef *militaire* qui les libérerait de l'occupant ennemi (à ce moment de l'histoire, les Romains), cette menace était d'un grand poids pour Pilate. On notera au passage qu'on avait autorisé les Juifs à prendre des mesures pour assurer une présence policière, d'où la garde du Temple, celle-là même qui a arrêté Jésus dans le Jardin.

51. Les soldats romains étaient-ils vraiment aussi brutaux qu'on les montre dans le film ou bien s'agit-il seulement d'une interprétation hollywoodienne ?

Certaines archives montrent qu'ils faisaient preuve, en effet, de cette brutalité. La crucifixion était sans doute le mode d'exécution le plus douloureux et le plus horrible jamais inventé. Il était régulièrement pratiqué dans tout l'Empire romain pour soumettre les populations conquises. Le cas de Jésus était un bon exemple d'une situation qui pouvait être présentée comme une source potentielle de soulèvement. C'est pourquoi l'un des dirigeants juifs a faussement accusé Jésus d'inciter à la révolte fiscale envers César afin de provoquer la sentence romaine de crucifixion.

52. Pilate envoie Jésus à un autre homme dans l'espoir qu'il jugera de son innocence ou de sa culpabilité. Qui est cet homme ?

Ce personnage mielleux mais sinistre, est Hérode Antipas, le roi Juif qui, auparavant, avait fait arrêter Jean Baptiste parce que celui-ci condamnait le mariage d'Hérode avec la femme de son frère. Un jour, la belle-fille du roi, Salomé, l'avait tellement charmé par sa danse de séduction qu'il a offert de la récompenser en lui donnant tout ce qu'elle voudrait. Incitée par sa mère, elle demanda la tête de Jean Baptiste. Hérode, à contre-cœur, accéda à sa demande et fit exécuter Jean (Matthieu 14:3-12). Pendant la vie de Jésus, Hérode gouvernait la population juive en Galilée, avec l'accord des Romains.

53. Pourquoi Pilate envoie-t-il Jésus au Roi Hérode ? Pourquoi ne l'a-t il pas jugé lui-même ?

Probablement parce qu'il savait que Jésus était innocent et que les autorités juives le lui avaient livré par jalousie. Il était donc peu enclin à faire passer Jésus en jugement. De plus, Claudia, la femme de Pilate, lui avait dit de ne pas se mêler des affaires de ce juste (Matthieu 27: 19). Dans un premier temps, il pensait, grâce à un détail juridique, pouvoir s'en sortir : Jésus étant de Galilée, Il était d'abord soumis à l'autorité du roi Hérode. Mais, finalement, Pilate a bien été obligé de statuer sur l'affaire après qu'Hérode eut refusé d'agir.

54. Les chrétiens doivent-il condamner Pilate pour ce qu'il a fait ? Il semble avoir agi pour le mieux, au vu des circonstances.

Bien que certaines décisions politiques puissent être difficiles à prendre, ceux qui sont investis de l'autorité sont appelés à suivre la voie étroite, à agir avec justice et à défendre le bien et la vérité, quelles qu'en soient les conséquences. Pilate a agi sous le coup de la peur et par intérêt personnel : alors qu'il avait été institué gouverneur pour maintenir la paix à Jérusalem, les mouvements de foule semblaient pouvoir tourner à l'émeute. Surtout, le plus important, c'est qu'il risquait des ennuis avec César et la fin de cette carrière si chèrement acquise, s'il ne livrait pas Jésus pour Le faire crucifier. Bien qu'il ait essayé à plusieurs reprises de libérer Jésus, Pilate a finalement recherché son bien propre au lieu du Bien suprême. Il « s'est lavé les mains » de la condamnation et de la mort de Jésus, ce qui n'empêche qu'il en porte la lourde responsabilité. Il aurait pu déclarer Jésus innocent et le libérer ; au lieu de cela, il a permis le meurtre de l'Auteur même de la Vie.

55. Pourquoi Jésus reste-t-il silencieux devant Hérode ?

On a souvent expliqué cette étrange situation en disant qu'Hérode s'adonnait tellement à la dépravation et au péché que toute tentative de Jésus pour l'atteindre aurait été vaine. Jésus savait assurément qu'Hérode avait pris la femme de son frère et quelle part il avait prise dans le meurtre de Jean

Baptiste. Mais, puisque Hérode ne devait pas jouer de rôle direct dans les événements salvateurs qui allaient suivre, Jésus s'est contenté de subir sa bêtise sans l'affronter directement. Mais ce silence de Jésus a également un sens théologique très profond : comme l'indique le *Catéchisme*, Jésus est « le Serviteur souffrant (Isaïe 53: 7) qui, silencieux, se laisse mener à l'abattoir » (CEC n. 608).

56. Le film comporte une scène où Pilate interroge sa femme au sujet de *la vérité* et de la raison pour laquelle il ne peut pas l'entendre. Pourquoi ?

Cette scène pleine de tendresse illustre merveilleusement cette réalité que la vérité est inscrite au cœur de l'Homme. Dans la Bible, d'ailleurs, le prophète Jérémie et l'apôtre Paul débattent de cette question avec force éloquence. La scène souligne aussi que Pilate était peut-être sincère en posant à Jésus sa question : « Qu'est-ce que la vérité ? » Il semble que Pilate ait été profondément troublé – et même hanté – par Jésus et sincèrement affligé du rôle qu'il était lui-même amené à jouer dans ce drame. Néanmoins, aussi désolé qu'il ait pu être, il a pourtant usé de son autorité pour faire crucifier l'Homme-Dieu innocent.

57. Après que Pilate eut proclamé que ni lui ni Hérode n'avaient trouvé contre Jésus aucun chef d'accusation, on nous présente le brigand Barabbas. Pourquoi Pilate offre-t-il alors de libérer un prisonnier ?

Il le fait simplement parce que c'était une coutume pour lui, en signe de « bonne volonté » de la part des Romains, de libérer un prisonnier chaque année pour la Pâque. C'était le moment idéal, du point de vue des relations publiques, pour faire un tel geste, car Jérusalem était remplie de pèlerins venus de tous pays pour célébrer la Pâque.

La libération de Barabbas est troublante car il était connu comme meurtrier et agitateur politique, constituant ainsi un réel danger pour l'État romain. Cette libération est un comble. Le peuple pour lequel Jésus avait témoigné un si grand amour et opéré tant de miracles, a choisi de libérer un meurtrier plutôt que le Fils de Dieu innocent.

58. La flagellation de Jésus est la partie du film la plus violente et, franchement, la plus difficile à regarder. Pourquoi le réalisateur en a-t-il fait une scène aussi violente ?

Des documents historiques rapportent que la flagellation était horrible et extrêmement sanglante. En Amérique, l'expérience des esclaves afro-américains, pendant les siècles d'esclavage, en témoigne. Une autre preuve en est le Suaire de Turin, considéré par beaucoup comme le véritable linceul de Jésus, et qui montre, en effet, le dos d'un homme sévèrement meurtri et ensanglanté. L'intention évidente du réalisateur, en faisant *la Passion du Christ*, était de montrer, dans sa brutale réalité, ce que Jésus a véritablement expérimenté.

Il n'est besoin que de voir les instruments de la flagellation pour en percevoir quelque peu l'horreur. Dans le livre de Pierre Barbet, *La Passion selon le Chirurgien*, nous trouvons cette description :

> …on utilisait un instrument typiquement romain : le flagrum. Il avait un manche court auquel étaient attachées de longues lanières, deux habituellement. Un peu avant leur extrémité, on y insérait des balles de plomb ou de petits os

de mouton... Ces lanières découpaient la peau, et les balles et les petits os y creusaient des plaies profondes. Ce qui provoquait beaucoup d'hémorragie et un affaiblissement considérable de la résistance vitale.

Dans le film, le diable assiste à la flagellation de Jésus. Nous voyons Satan, tenant dans ses bras un bébé démon hideux, qui tourbillonne alentour, tout au long de cette séquence, incitant les tortionnaires à faire preuve d'un maximum de violence et de brutalité. C'était l'heure du diable, celle où il a pensé qu'il avait gagné son combat contre Dieu.

59. Pourquoi cette scène est-elle si longue ?

Parce que c'est à peu près le temps qu'a duré la flagellation. Celle-ci a été si violente qu'elle a presque réussi à tuer Jésus avant Sa crucifixion. Mais la flagellation de Jésus n'est pas une chose dont nous devons nous détourner ou qu'il faut éviter ; c'est une réalité puissante sur laquelle nous devons méditer. Pour le faire de manière fructueuse on peut prier le Rosaire, qui est une méditation de la vie du Christ. Cette prière féconde est constituée de vingt « mystères ». *Les mystères douloureux* portent sur les événements clefs de la Passion de Jésus : son agonie dans le jardin, la flagellation, le couronnement d'épines, le portement de croix, la crucifixion et la mort. En priant ces mystères, votre cœur s'ouvrira à la signification profonde de la Passion du Christ et cela vous aidera à à la mettre en pratique dans votre vie

60. Quelle est la signification du retour en arrière où l'on voit Jésus laver les pieds de ses disciples ?

Jésus est venu pour servir et nous apprendre comment vivre. Dans cette scène, Il fait passer le message que, bien qu'Il soit Dieu, Il s'est humilié pour nous. Lui, le Seigneur de l'Univers, est devenu serviteur de sa créature. En lavant les pieds de ses disciples, Jésus nous montre la nature du véritable amour : il s'agit de mourir à soi-même et de vivre pour les autres. En agissant ainsi, nous découvrons qui nous sommes vraiment. La voie de l'amour c'est le sacrifice – l'offrande de sa vie pour les autres – dans les petites comme dans les grandes choses, y compris l'humble geste de laver les pieds de l'autre.

61. Pourquoi le film montre-t-il la femme de Pilate donnant à Marie un paquet de linges ?[1]

C'est un magnifique procédé artistique qui exprime visuellement la dévotion au précieux sang du Christ – ce sang qui a été répandu pour nous, le sang qui nous sauve. La Bible dit : « Lui [Jésus] dont la meurtrissure vous a guéris » (1 Pierre 2 : 24).

Marie, en tant que mère, manifeste ici bien davantage que son amour maternel pour son Fils ; elle montre également qu'elle reconnaît le caractère sacré de son Sang.

62. Dans la scène où Jésus sauve de la lapidation la femme adultère, nous le voyons écrire sur le sable. Quelle est la signification de ce geste ?

Cette scène est tirée directement du Nouveau Testament (Jean 8 : 3-11). Certains théologiens et biblistes ont émis l'hypothèse que Jésus écrivait peut-être les péchés des hommes qui

1. Voir question n°84

étaient sur le point de lapider la femme. D'autres notent que le geste de Jésus rappelle Celui qui, à l'origine, a donné la Loi, sur le Mont Sinaï, car le livre de l'Exode montre que les Dix Commandements (y compris « Tu ne commettras pas d'adultère ») ont été écrits dans la pierre « du doigt de Dieu ». Ainsi donc, cela montre que Celui qui a donné la Loi, accorde maintenant la miséricorde. En tout cas, c'est de cet incident que viennent ces paroles provocantes : « Que celui d'entre vous qui est sans péché lui jette en premier la pierre » (Jean 8:7).

63. Avant de quitter la scène de la flagellation, pourriez-vous expliquer ce que signifie le bébé démon que le diable tient dans ses bras ?

C'est encore un exemple de liberté artistique du réalisateur. Son symbolisme est à la fois déconcertant et puissant. Voici quelques interprétations vraisemblables : premièrement, le diable veut corrompre tout ce qui est bien et bon dans la création de Dieu. On peut voir l'image de cet horrible enfant démon comme une représentation tangible de la laideur morale.

Dans une deuxième interprétation on peut y voir le don de la vie – un petit enfant – caricaturé sous une forme totalement dépravée. Cette image peut bien être le symbole du fréquent mépris de l'enfant que manifeste notre culture contemporaine (ce que révèlent l'acceptation généralisée de l'avortement et le nombre des enfants maltraités). Enfin, on peut encore voir dans cette scène le contraste entre Marie qui contemple son enfant, Jésus, et Satan qui étreint cet enfant. Vous avez sans doute également remarqué le sourire sur le visage de l'enfant démon. Ceci montre bien au spectateur qu'il se réjouit des souffrances de Jésus.

64. En proclamant, « *Ecce homo !* » – « Voici l'homme ! » – alors qu'il montrait Jésus supplicié, Pilate a-t-il pensé que cette foule assoiffée de sang allait être satisfaite ?

Le contraste ici est frappant, entre un homme qui conserve encore dans le cœur un reste de compassion et une populace en furie animée d'un désir insatiable de spectaculaire. C'est, malheureusement, une représentation lucide de la condition humaine : si nous leur cédons, nos appétits pour le péché et le vice grandissent de plus en plus au point de ne pouvoir, en fin de compte, jamais être satisfaits.

65. Pourquoi met-on en relief le contraste entre Pilate « se lavant les mains » et Jésus qui se purifie les mains à la dernière Cène ?

« Se laver les mains » d'une responsabilité est une expression bien connue dans notre culture et qui vient directement de cet événement historique. Pilate « se lave les mains » de la crucifixion imminente de Jésus pour montrer que, dans son esprit, il n'en porte aucunement la responsabilité (Matthieu 27 : 24). Par ce geste symbolique, Pilate signifie qu'il a essayé de faire au mieux pour libérer Jésus, mais que les autorités du Temple, ainsi que la foule, ne le lui ont pas permis. Il en a donc terminé avec cette question et quoi qu'il arrive ensuite, ce ne sera pas sa faute. Le contraste souligne ici la différence cruciale qui existe entre l'exécution d'un devoir imposé par Dieu (dans l'Ancien Testament, Il exigeait que les gens se purifient les mains avant le repas) et la fuite d'une responsabilité donnée par Dieu (celle de juger avec justice).

66. Pourquoi l'un des hommes condamnés avec Jésus se moque-t-il de Lui quand, sur le chemin du Calvaire, Il commence par embrasser sa croix ?[1]

Cette scène n'est pas relatée dans l'Évangile, c'est un autre exemple de liberté créatrice du réalisateur. Au moment où Jésus et les deux hommes condamnés avec Lui reçoivent leurs croix et commencent la difficile montée au Calvaire, l'un des deux hommes se moque de Jésus qui prend sa croix. Cet homme, que la tradition appelle « le mauvais larron », ne comprend évidemment pas qu'il nous faut embrasser la souffrance pour que puissent grandir notre amour et notre confiance en Dieu. Grâce à la providence du Père, tout concourt au bien de ceux qui L'aiment (Romains 8 : 28). Cependant, si nous parvenons à accepter la souffrance qui résulte de nos mauvais choix personnels, c'est la souffrance reçue sans aucune faute de notre part qui met le plus sévèrement notre foi à l'épreuve. Les voies de Dieu dépassent notre entendement. Mais notre foi chrétienne enseigne qu'il nous faut embrasser la croix et accepter tout ce que Dieu permet qu'il nous arrive afin d'être purifiés de notre obstination et de nous conformer plus pleinement à sa volonté. Telle est la voie de la sainteté et du salut.

67. À un moment du chemin de croix, Jésus semble presque caresser sa croix. Ai-je bien vu cela ?

De nouveau, aussi insensé que cela puisse paraître à nos sensibilités modernes, l'Église catholique reconnaît la valeur rédemptrice de la souffrance. Jésus enseigne que la

1. Voir question n°84

souffrance est inéluctable mais qu'elle nous transforme et que nous devons l'accueillir et l'embrasser. Elle a une valeur rédemptrice lorsque nous l'offrons à Dieu, ce qui veut dire que nous participons avec Dieu à l'expiation de nos péchés (Colossiens 1 : 24).

68. Pendant que Jésus porte sa croix, le réalisateur montre, alternativement, le diable et Marie qui avancent avec lui à travers la foule, chacun d'un côté. À un moment, leurs regards se croisent dans un échange silencieux extraordinairement puissant. Que se passe-t-il exactement ?

Les catholiques considèrent que l'obéissance de Marie à Dieu est l'antithèse de la rébellion du diable contre Dieu. Ceci choque beaucoup de gens, car ils pensent que *le diable* est l'opposé de Dieu. Mais rien ne peut être l'opposé de Dieu, car Dieu n'a pas d'égal. Marie ne pourrait pas non plus, sans intervention divine, être l'adversaire du diable car, celui-ci étant un ange, il est infiniment plus puissant, sur un plan naturel, que n'importe quel être humain. Mais Marie est « pleine de grâce » ainsi que Gabriel l'a appelée. Remplie de la vie de Dieu elle est, par conséquent, capable d'affronter le diable, non seulement pendant la Passion, mais aussi pour nous défendre, maintenant qu'elle est glorifiée dans le ciel. L'ange Gabriel lui est apparu lorsqu'elle était adolescente, pour lui annoncer que Dieu voulait qu'elle devienne la mère du Messie. Son « oui » à Dieu a apporté au monde le don du salut – Jésus, le Fils de Dieu Incarné. Son « oui » immédiat à Dieu se trouve en opposition directe avec le rejet de la volonté de Dieu par Lucifer.

Le « oui » de Marie s'affirme en contraste total avec le

« non » d'Ève à Dieu dans le Jardin d'Éden. Alors que, dans le livre de la Genèse, Ève est séduite par le démon, Marie, elle, déjoue les plans du démon en acceptant la volonté de Dieu pour son Fils bien-aimé. C'est pourquoi, traditionnellement, les Chrétiens considèrent Marie comme la « nouvelle Ève »: son « oui » (l'obéissance) à Dieu a annulé le « non » d'Ève (le péché et la rébellion) et il a amorcé la retour à la grâce de l'humanité.

Cette scène de la montée de Jésus au Calvaire illustre le combat qui se jouait (et se joue toujours) entre Marie et le démon. Le démon méprise Marie pour le rôle qu'elle a joué en donnant au monde son Sauveur. Il exècre sa pureté de cœur, son rôle d'intercesseur devant Dieu et son entière fidélité. On trouve des preuves de cette haine envers « la femme » au début et à la fin de la Bible. Dans la Genèse, nous voyons Dieu affirmer : « Je mettrai une inimitié entre toi [le diable, représenté par le serpent] et la femme » (Genèse 3 : 15). Dans l'Apocalypse, nous voyons que le diable (représenté par le dragon) veut dévorer l'enfant de la femme, mais elle s'enfuit au désert (Apocalypse 12 : 6). « La femme » dont il est question ici est une allusion, non seulement à Marie, la femme spécialement choisie par Dieu, mais aussi à Israël, « la Fille de Sion » dont Marie est l'exemple suprême, et également à l'Église, dont Marie est l'icône et l'image suprêmes.

69. Les Catholiques adorent-ils Marie ?

Non. Les Catholiques *vénèrent* Marie et ils la reconnaissent comme la plus grande parmi tous les saints. Elle est, tout simplement, la nouvelle « Arche d'Alliance », l'habitacle choisi par Dieu pour porter Son Fils. C'est pourquoi elle est digne d'un immense respect et est l'objet d'une grande dévotion. Tout comme l'Arche de l'Alliance, dans l'Ancien Testament, contenait la parole de Dieu (les Tables de la Loi) et le pain du ciel (*la manne*), Marie, elle aussi, a porté dans son sein, Jésus, Parole de Dieu et Pain du ciel.

C'est à cause de son intimité particulière avec Dieu, que les Catholiques lui demandent d'intercéder auprès de Lui pour nous. C'est, dans une large mesure, la raison pour laquelle la dévotion à Marie est si importante pour notre vie spirituelle.

70. J'ai entendu parler du Chemin de Croix et je crois que cela commémore certains des événements vus dans le film. Qu'est-ce que c'est exactement ?

Dévotion catholique traditionnelle et populaire, le Chemin de Croix se pratique avec piété, sous une forme ou une autre, depuis près de mille ans.

Le Chemin de Croix est constitué de stations qui rappellent quatorze moments clefs de la montée de Jésus au Calvaire, là où il a été crucifié. Elles nous permettent « d'accompagner » Jésus spirituellement, durant ses dernières heures. Parmi les épisodes qui sont médités, on retrouve la condamnation de Jésus par Pilate, le moment où Jésus est chargé de sa croix, ses trois chutes et sa rencontre avec sa Mère. Les prières que l'on récite à chaque station peuvent varier et il en existe de nombreuses versions. Certaines sont des réflexions composées par des saints des siècles passés, d'autres sont plus contemporaines dans leur formulation.

On peut trouver des représentations du Chemin de Croix dans presque toutes les églises catholiques du monde, dans des styles artistiques divers, anciens et modernes.

71. Quelle distance Jésus a-t-il parcourue jusqu'au Calvaire ?

Le chemin de Jésus vers le Calvaire est appelé *Via Dolorosa* ou « Chemin des Douleurs ». Cette route qui va du Prétoire (le tribunal romain) au Calvaire (colline où se faisait la crucifixion), fait environ 600 mètres. Elle était sans doute très accidentée et le portement d'une lourde poutre, après la flagellation, a dû être excessivement pénible pour Jésus.

Au cours des siècles, des millions de personnes ont suivi ce chemin par dévotion pour la Passion. Si vous allez à Jérusalem, vous y verrez des pèlerinages quotidiens qui vont du Monastère de la Flagellation jusqu'au Calvaire.

72. Pendant que Jésus porte sa croix, une femme traverse la foule pour aider Jésus et elle essuie son visage. Qui est-ce ?

Elle s'appelle Véronique. Cet événement, bien qu'il ne soit pas relaté dans l'Évangile, est une histoire bien connue, transmise et célébrée par les fidèles.

73. La scène où le visage de Jésus s'imprime sur le voile de Véronique n'est-elle qu'une vision artistique du cinéaste ?

Non. Des documents historiques révèlent que le voile de Véronique est connu et vénéré depuis des siècles. Certains émettent l'hypothèse que c'est principalement grâce à cette image que nous pouvons savoir à quoi ressemblait Jésus. D'après la tradition chrétienne, Véronique aurait conservé le voile, qui aurait opéré des miracles. Elle aurait guéri l'empereur romain Tibère avec ce voile puis l'aurait confié à la garde du Pape Clément (troisième successeur de saint Pierre) et de ses successeurs.

74. Le voile de Véronique a-t-il été préservé jusqu'à nos jours ?

Selon la tradition, le voile de Véronique serait actuellement conservé dans la basilique Saint-Pierre de Rome. On trouve là, près du grand autel, une statue de Véronique avec une inscription en latin disant que le voile est conservé à l'intérieur.

Brève histoire du voile

Des documents de l'Église attestent de son existence dès le IVe siècle et, en l'Année Sainte 1300, le voile de Véronique a été exposé publiquement à Rome. On le décrivait généralement comme un morceau d'étoffe mince portant sur les deux faces l'image d'un homme, les yeux grands ouverts et le visage marqué par la souffrance, avec des taches de sang visibles. Sur le plan historique, les difficultés commencent en 1608 lorsque la chapelle où le voile était conservé est démolie par le pape Paul V, au cours de la reconstruction de la basilique Saint-Pierre. Certains supposent que le voile fut alors volé. En 1616, le pape Paul V interdit toute reproduction du voile de Véronique qui ne serait pas l'œuvre d'un chanoine de la basilique Saint-Pierre. En fait, toutes les reproductions réalisées après cette époque portent l'image du Christ avec les yeux fermés, alors que les reproductions antérieures Le montraient les yeux ouverts. Disons, en résumé, que les spécialistes ne sont pas certains que le voile existe encore.

75. Je n'ai pas pu m'empêcher de remarquer que les quatre personnages féminins du film sont présentés sous un jour très favorable. Le réalisateur a-t-il voulu par là se montrer politiquement correct ?

Cette représentation favorable des femmes dans le film est intentionnelle de la part du réalisateur. Mais loin de vouloir ainsi se plier aux exigences du politiquement correct, le réalisateur ne fait que refléter à la fois l'enseignement de l'Église et la piété populaire catholique relative à ces femmes. L'Écriture nous dit que la Vierge Marie et Marie Madeleine étaient présentes à la Passion du Christ. La piété catholique traditionnelle y ajoute également les personnages de Véronique et de Claudia, la femme de Pilate. L'Écriture et la Tradition s'accordent, en tout cas, pour dire que presque tous les hommes qui étaient proches du Christ, (à l'exception de l'apôtre Jean) se sont enfuis. C'est un fait qui mérite réflexion et devrait faire l'objet d'une sérieuse méditation.

76. Qui est l'homme qui aide Jésus à porter sa croix ? Est-il mentionné dans les Évangiles ?

L'Évangile nous dit que c'est Simon de Cyrène, une ville située sur la côte nord-africaine. C'était probablement un pèlerin venu pour les festivités de Pâque, comme tous ces Juifs de nombreux pays qui convergeaient vers Jérusalem, lors des fêtes importantes. La Bible ne le mentionne que brièvement. On nous dit simplement qu'il fut « requis » par les soldats romains pour aider Jésus à porter sa croix (Luc 23 : 26), mais l'Évangile de Marc nous apprend aussi le nom de ses fils, Alexandre et Rufus (Marc 15 : 21). La tradition catholique ajoute cependant que cet homme, choisi par Dieu pour intervenir de manière aussi directe en allégeant le fardeau de Jésus, expérimenta ainsi une profonde conversion au christianisme.

En un sens, Simon de Cyrène nous représente tous, nous qui sommes appelés par Jésus à prendre chaque jour notre croix et à le suivre (cf. Luc 9 23). Jésus invite chacun de nous à participer à son œuvre de rédemption par l'offrande sacrificielle de notre vie.

77. À quel moment de son ministère public Jésus a-t-il dit : « Car si vous aimez ceux qui vous aiment, quelle récompense aurez-vous ? »

Le Sermon sur la montagne (Matthieu, chapitres 5-7) proclame la venue du Royaume de Dieu et résume le cœur de l'enseignement de Jésus. La citation est tirée de Matthieu 5 : 46, où Jésus nous parle de la véritable nature de l'amour.

78. J'ai entendu un historien dire que Jésus n'aurait porté que la traverse – partie horizontale de la croix – sur le chemin du Calvaire. Pourquoi le film nous Le montre-t-il portant la croix tout entière ?

Pour les condamnés à la crucifixion, les Romains avaient l'habitude de ne leur faire porter que la traverse – le *patibulum* – jusqu'au lieu de l'exécution. Arrivé là, le patibulum horizontal était fixé au poteau vertical et on élevait ensuite la croix tout entière. Il est presque certain que Jésus a fait la même chose.

Cependant, comme une grande partie de l'art chrétien depuis plus de mille ans représente Jésus portant la croix complète, le réalisateur a choisi de Le montrer ainsi. La traverse, qui pesait, en principe, entre 22 et 45 kilos, constituait déjà une torture bien suffisante. Si le réalisateur a fait ce choix, ce n'est sans doute pas dans l'intention de faire paraître la chose pire encore, mais simplement de s'en tenir à une image que le spectateur a déjà présente à l'esprit en ce qui concerne cet événement.

79. N'est-ce pas dans les poignets de Jésus – et non dans ses mains – que les clous ont été enfoncés, afin de pouvoir supporter le poids de son corps ? Le film montre que les clous traversent ses mains.

On pense généralement que les Romains crucifiaient en plaçant les clous dans les poignets et non dans les mains. Cette décision du réalisateur de montrer les clous plantés dans les mains du Christ est encore un autre exemple de liberté artistique. Ce choix s'inspire probablement aussi de l'art chrétien qui représente traditionnellement Jésus portant la croix tout entière et les clous plantés dans les mains. Les deux étant pareillement épouvantables, le choix du réalisateur a peu d'importance. (Il est intéressant de noter que l'image du Suaire de Turin est en accord avec ce point historique : l'homme dont le corps apparaît sur le linceul a des plaies aux poignets, et non aux mains.)

80. Mel Gibson, le réalisateur, apparaît-il dans le film ?

Oui. Mel Gibson tient, de sa main gauche, le clou qu'on enfonce dans une des mains de Jésus. Il a expliqué qu'il a fait cela pour accentuer le fait que ce sont ses propres péchés qui, du moins pour une part, ont crucifié le Christ.

81. Que savons-nous d'autre sur la pratique de la crucifixion par les Romains ?

Arrivé au lieu de l'exécution, on commençait généralement par dépouiller la personne de ses vêtements puis on lui fixait les poignets à la traverse à l'aide de longs clous. Les pieds du condamné étaient ensuite cloués à une pièce de bois attachée à la poutre verticale. Tout ceci était bien sûr atrocement douloureux mais aucune de ces plaies n'était fatale. Le corps de la victime pesant de tout son poids, la mort était causée finalement par l'épuisement et l'asphyxie. La victime suffoquait littéralement. Les Romains eux-mêmes reconnaissaient si clairement l'exceptionnelle cruauté de la crucifixion comme moyen d'exécution que les citoyens romains condamnés à mort pour crimes graves étaient toujours décapités, jamais crucifiés.

82. Pourquoi ces plans sur les oiseaux, aussi effrayants et repoussants, durant la scène de la crucifixion ?

En raison d'un autre détail historique. Divers oiseaux carnivores et oiseaux de proie descendaient souvent sur les condamnés. On croit aussi que certaines victimes mouraient des attaques de chiens. De plus, le sort du « mauvais larron » est montré ainsi pour contraster avec celui du « bon larron » qui, dans l'Évangile, professe sa foi au Christ à la onzième heure et reçoit de Jésus l'assurance d'avoir part à son Royaume.

83. Pourquoi le film fait-il un retour en arrière sur la dernière Cène pendant la crucifixion ?

Jésus a célébré le repas de la Pâque (c'est-à-dire la dernière Cène) avec ses Apôtres d'une manière qui signifiait l'accomplissement de l'Ancienne Alliance. Il a déclaré que le pain de la Pâque était son corps et que le vin était son sang. Et il a institué ce nouveau rite en demandant de faire cela en mémoire de Lui. C'est ce que nous appelons aujourd'hui l'Eucharistie ou la Sainte Communion. Au chapitre 6 de l'Évangile de Jean, Jésus explique longuement que sa chair est une vraie nourriture et son sang une vraie boisson, ce qui scandalisa nombre de ses disciples à l'époque. Le sacrifice de son corps, offert une fois pour toutes sur la croix, est « réactualisé » de façon tangible sur terre par le sacrifice de l'autel où le pain et le vin sont transformés en son Corps et son Sang. Ce rite est désigné, dans le Nouveau Testament (Actes 2: 42) et dans les écrits des premiers Pères de l'Église, sous le nom de « fraction du pain ».

La Pâque prend ainsi un sens nouveau parce que sa finalité est accomplie. Le Fils de Dieu – l'Agneau sans tache et sans péché – est devenu lui-même l'holocauste. C'est le repas de la Pâque, sous sa nouvelle forme, l'Eucharistie, qu'il faut maintenant manger pour avoir la vie en nous : « C'est moi qui suis le pain de vie : celui qui vient à moi n'aura pas faim » (Jean 6:35). On trouvera dans Jean 6:22-71, l'explication complète de Jésus sur cette doctrine fondamentale.

84. Pouvez-vous m'expliquer cette scène étrange où la croix sur laquelle Jésus vient d'être cloué est retournée mais demeure suspendue au-dessus du sol ?

La vénérable Marie d'Agreda[1] (1602-1665), religieuse espagnole, a donné ce détail étonnant dans ses écrits mystiques sur la vie de Marie, mère de Jésus. Certains détails du

1. Voir bibliographie p. 96.

film ont été empruntés à ses œuvres ainsi qu'aux méditations de la vénérable Anne-Catherine Emmerich[1] (1774-1824) sur la Passion du Christ. Les « visions » de ces deux religieuses ont parfois un sens symbolique plutôt que littéral. Bien que l'Église catholique ne les ait jamais déclarées être des révélations surnaturelles, elle en a cependant autorisé la publication. Et, pendant des siècles, elles ont inspiré une vraie dévotion aux vérités de la Foi.

85. Jésus est-Il mort plus rapidement que la normale pour une crucifixion ?

Il semblerait que oui. L'Évangile dit que Jésus est resté trois heures sur la croix avant de mourir (Matthieu 27 : 45-46), ce qui est un temps relativement court si l'on considère que nombre de suppliciés agonisaient pendant des jours. Mais souvenons-nous que Jésus, Dieu-Homme, a *choisi* le moment de sa mort. Il a offert librement sa vie pour nous ; elle ne Lui a pas été enlevée par des hommes. Et c'est au moment où Jésus dit « *Tout est accompli !* » qu'Il remet son esprit et meurt.

86. Qu'est-il écrit sur l'écriteau cloué au-dessus de la tête de Jésus ?

Cet écriteau, placé sur la croix par ordre de Ponce Pilate, porte l'inscription suivante, en hébreux, latin et grec : « Jésus le Nazôréen, le roi des Juifs » (Jean 19 : 19-20). Sur les crucifix, on voit généralement les lettres INRI, abréviation du latin *Iesus Nazarenus, Rex Iudaeorum*. Bien que le film ne le montre pas, l'Évangile nous dit que les dirigeants Juifs

1. Voir bibliographie p. 96.

retournèrent chez Pilate pour demander qu'on écrive plutôt : « *Cet individu a prétendu* qu'il était le roi des juifs » (Jean 19:21). Mais Pilate les a renvoyés en disant : « Ce que j'ai écrit, je l'ai écrit » (Jean 19:22). L'église de la Sainte-Croix à Rome abrite diverses reliques de la Passion, dont ce qui semble être un morceau de cet écriteau.

87.Quel est le sens des paroles dramatiques de Jésus sur la croix : *« Eloi, Eloi, lama sabachthani ? »*

C'est de l'araméen qui signifie : *« Mon Dieu, Mon Dieu, pourquoi m'as-tu abandonné ? »* Des profondeurs de sa nature humaine, Jésus pousse un cri d'angoisse vers son Père. Certains ont donné à ces paroles une interprétation erronée, supposant que Jésus était désespéré, qu'Il ne s'attendait pas à être crucifié. Il faut donc se méfier et ne pas tirer ici la conclusion que Jésus n'était pas une personne divine ou qu'Il était d'une certaine manière inférieur à Dieu, ce qui serait faux. Ce n'est pas ainsi qu'il faut interpréter ses paroles de désolation. Jésus, Personne divine, connaissait le plan du salut de toute éternité. Il partage la même nature que le Père et l'Esprit Saint.

Nous voyons plutôt ici Jésus dans sa véritable humanité. Il ne s'est pas contenté de nous ressembler, Il a également ressenti toute chose comme nous. Les souffrances qu'Il a éprouvées sur la croix n'étaient pas seulement des douleurs physiques, mais elles étaient aussi profondément spirituelles car Il a pris sur Lui le poids des péchés passés, présents et à venir de toute l'humanité.

Bien sûr, Il a sans doute éprouvé sur la croix un immense sentiment de désolation et d'indicibles souffrances physiques, mais ces paroles *« Mon Dieu, mon Dieu, pourquoi m'as-tu abandonné ? »* sont en fait les premières lignes du Psaume 22. Jésus rappelle ici que ce qui Lui arrive est l'accomplissement de ce psaume prophétique qui prédit qu'on lui percera les mains et les pieds et que ses vêtements seront tirés au sort. Et le psaume se termine par la proclamation triomphante et confiante que Dieu vient finalement prendre sa défense.

88. Le film nous rapporte-t-il toutes les paroles de Jésus en croix ?

Non, toutes ses paroles ne sont pas présentées dans *La Passion du Christ.* Mais vous en trouverez la liste complète en Annexe – Les sept dernières paroles du Christ.

89. Pouvez-vous expliquer pourquoi, au moment où son sang coule jusqu'au pied de la croix, le film fait un retour en arrière sur Jésus qui offre le vin à la dernière Cène ?

Lorsque, pendant la dernière Cène, Jésus a pris la coupe, Il a dit : « Buvez-en tous : car ceci est mon sang, celui de l'Alliance, répandu pour la multitude en rémission des péchés » (Matthieu 26 : 28). Ce sang de Jésus qui coule sur la croix constitue le sacrifice nécessaire pour expier tous les péchés de l'humanité. Et parce que Jésus a ordonné : *« Faites ceci en mémoire de Moi »*, l'Eucharistie est célébrée chaque jour sur chaque autel de chaque église catholique, partout dans le monde, de même que dans la liturgie de l'Église orthodoxe.

90. L'un des criminels crucifiés avec Lui a-t-il vraiment insulté Jésus, ou bien est-ce ajouté dans le film pour produire un effet dramatique ?

L'Évangile mentionne que l'un des hommes Lui a dit : « Si tu es le Christ, sauve-toi toi-même et nous aussi ! »

(Luc 23:40). La tradition catholique appelle l'autre crucifié « le bon larron », nommé Dismas. Il répond aux paroles du premier en disant : « Tu n'as même pas la crainte de Dieu, toi qui subis la même peine ? Pour nous, c'est justice, car nous recevons ce qu'ont mérité nos actes, mais lui n'a rien fait de mal... Souviens-toi de moi, Seigneur, quand tu viendras dans ton royaume ! » (Luc 23:40-42). Jésus lui répondit : « En vérité, je te le dis, aujourd'hui avec moi tu seras dans le Paradis » (Luc 23:43). Le pardon de Jésus à Dismas donne à tout chrétien l'espérance dans le pouvoir rédempteur de la foi. Même à l'heure de la mort, il est possible de demander et de recevoir le pardon de ses péchés en ayant foi en Jésus !

91. S'Il était vraiment Dieu, pourquoi Jésus n'a-t-Il pas opéré un miracle en descendant de la croix ? Cela aurait certainement transformé ses ennemis en croyants !

Pas forcément. Lazare, peu de temps avant, avait été ressuscité par Jésus, en public, après être resté quatre jours dans la tombe (Jean 11). Un aveugle avait été guéri en plein centre de Jérusalem (Jean 9). Mais les ennemis du Christ ont répondu en traitant l'aveugle de menteur et ils l'ont jeté hors de la synagogue. Il est clair que les démonstrations publiques spectaculaires n'inspirent pas toujours la foi. Voir n'est pas toujours croire. Mais plus précisément, si Jésus *était* descendu de la croix, Il aurait renié la raison même pour laquelle Il est venu dans le monde : nous sauver de nos péchés et nous permettre d'obtenir la vie éternelle. Il devait rester sur la croix jusqu'à la mort afin d'offrir le sacrifice expiatoire nécessaire pour nous réconcilier avec Dieu et nous libérer de l'esclavage du péché.

92. Quelle est la signification des dernières paroles de Jésus à sa Mère et à l'apôtre Jean ?

En disant « Femme, voici ton fils », et à Jean (le « disciple qu'Il aimait », comme le dit l'évangile) « Voici ta mère » (Jean 19 26-27), Jésus institue sa mère Marie en tant que mère spirituelle de tous les chrétiens. L'Évangile comme la Tradition nous disent que Jean n'était pas le fils de Marie par sa naissance, de sorte que les paroles de Jésus ne peuvent être prises dans un sens littéral. Jean l'évangéliste décrit cet épisode parce qu'il veut que nous nous voyions nous-mêmes à sa place. Marie, mère de Jésus, nous est donnée à *nous* pour être *notre* mère.

93. Pourquoi Jésus dit-Il « Tout est accompli », quand Il est sur la croix ?

L'amour implique la fidélité, et une fidélité qui va jusqu'au bout. *Le Catéchisme de l'Église catholique* enseigne que c'est l'amour de Jésus, qui nous « aima jusqu'au bout » (Jean 13 : 1), qui confère à son Sacrifice sur la croix sa valeur rédemptrice (CEC n° 616).

Ces paroles de Jésus sont si riches qu'elles permettent une grande variété d'interprétations. La plus évidente, cependant, c'est que la passion du Christ est maintenant achevée. Il a terminé la mission pour laquelle Il est venu dans le monde, à savoir sauver l'humanité de ses péchés, regagner ce qui avait été perdu. La rédemption de l'homme est accomplie. Tous les hommes et toutes les femmes ont maintenant la possibilité de recevoir la vie éternelle s'ils acceptent sa grâce et restent fidèles jusqu'à la fin.

94. Pourquoi y a-t-il des ténèbres, un orage et un tremblement de terre au moment où Jésus expire ?

Pour signifier l'ampleur de ce qui vient de se passer : la mort de l'Homme-Dieu. Mais ce ne sont pas seulement des effets dramatiques ajoutés au film. Les ténèbres et le tremblement de terre sont décrits dans le Nouveau Testament (Matthieu 27 : 45-54). De plus, le prophète Amos, dans l'Ancien Testament, parle des ténèbres et du tremblement de terre : « ...à cause de cela, la terre ne va-t-elle pas frémir... Il arrivera ce jour-là – oracle du Seigneur mon Dieu – où je ferai se coucher le soleil en plein midi et enténébrerai la terre en plein jour » (Amos 8 : 8-9).

95. Que se passe-t-il dans le Temple qui bouleverse si violemment les chefs des Juifs ?

Le voile du Temple s'est déchiré en deux du haut en bas, laissant apparaître le « Saint des Saints », ce lieu sacré où qui rappelait la présence de Dieu, et où nul homme ne pouvait entrer, à l'exception du Grand Prêtre, une fois par an, le jour de *Yom Kippour* (jour du Grand Pardon). Avec la mort du Christ, qui est le Véritable Grand Prêtre et le Véritable Sacrifice, prend fin la séparation entre Dieu et l'homme, et nous pouvons maintenant L'approcher sans crainte et entrer en communion avec Lui par la grâce.

96. Pourquoi le diable réagit-il de manière aussi hystérique à la mort du Christ sur la croix ?

On voit le diable, dans l'effrayant isolement que décrit cette scène, exprimer toute sa rage et son tourment pour sa défaite. La prédiction qu'il avait faite dans le jardin concernant l'impossibilité pour un homme de « porter tout le poids des péchés » s'est révélée fausse : Jésus a réellement été capable de souffrir la Passion et d'accomplir sa mission rédemptrice. Le diable a été totalement vaincu au Calvaire.

97. Il semble qu'un soldat romain se soit converti à la fin. Que sait-on de lui ?

L'Écriture rapporte qu'un des soldats présents à la crucifixion a été si bouleversé par la manière dont Jésus est mort qu'il s'est écrié : « Sûrement, cet homme était un juste. » Un autre évangéliste écrit qu'il s'est exclamé : « Vraiment, Celui-ci était le Fils de Dieu ! » La Tradition catholique nous dit que ce soldat est devenu chrétien. Le livre et le film *La Tunique* représentent dans le personnage de ce soldat celui qui a gagné aux dés la tunique de Jésus.

98. La scène déchirante, vers la fin du film, où Marie, au pied de la croix, regarde fixement vers nous tandis qu'elle tient la tête de son Fils mort, est très émouvante. Que signifie-t-elle ?

On peut voir, dans la beauté poignante de cette scène, un équivalent cinématographique de la *Pieta* de Michel-Ange. Elle nous fait comprendre, à travers le long regard blessé et aimant de Marie, que nos péchés, collectivement, ont tué son Fils, mais que sa mort apporte l'espérance à l'humanité.

99. Le film se termine par la Résurrection. Les chrétiens croient-ils vraiment que Jésus est ressuscité des morts ?

Oui, nous le croyons. La Résurrection est un des dogmes les plus importants de la Foi catholique. Saint Paul le déclare, de la manière la plus éloquente, dans sa première lettre aux Corinthiens : «... et si le Christ n'est pas ressuscité, notre prédication est vaine et vaine aussi notre foi » (1 Corinthiens 15 : 14). C'est uniquement par sa Résurrection que Jésus triomphe du pouvoir de la mort et nous donne l'espérance que notre propre corps va ressusciter. C'est donc sur notre croyance en la Résurrection que repose notre espérance de vie éternelle.

100. Que se passe-t-il après que Jésus est sorti du tombeau ?

Vous voulez le savoir ? Alors, lisez les *Évangiles* et les *Actes des Apôtres* !

DEUXIÈME PARTIE

LE DOSSIER DE JÉSUS

Nous vivons dans une société pluraliste où la multiplicité des formes de religiosité est devenue la norme. Dans une telle société, nombreux sont ceux qui croient que tous les chemins mènent à Dieu et qu'une religion en vaut une autre. Mais on ne peut affirmer cela que dans l'hypothèse où tous ces « chemins » sont purement œuvre humaine. Lorsque, fort de cette hypothèse, on affirme que toutes les religions *ont été* créées par l'homme, il est bien arrogant alors celui qui prétend que l'une est plus vraie que l'autre. Et cependant, si l'un des chemins vers Dieu n'était pas uniquement d'origine humaine ? Et si, après tout, c'était Dieu lui-même, qui nous avait donné, directement, un chemin particulier ?

L'Histoire et la Révélation nous font connaître une personne, unique entre toutes. Son nom était Jésus-Christ. La principale différence entre Jésus et, disons, Bouddha, Mahomet ou Confucius, c'est que ceux-ci n'ont jamais prétendu être divins et ne se sont pas manifestés comme tels. Par sa prédication et ses miracles, Jésus, Lui, nous a montré qu'Il était vraiment le Messie, le Verbe éternel de Dieu qui, à un moment précis de l'Histoire humaine, s'est fait chair et a habité parmi nous.

Les maîtres spirituels les plus connus (comme Bouddha, Mahomet et Confucius) ont proclamé la vérité de bien des manières, réelles mais cependant partielles. Certains, mais pas tous, ont même proclamé cette vérité, qu'il n'existe qu'un seul Dieu. Bref, *parler* de Dieu est une chose. Bien des grands personnages l'ont fait au cours des âges. Jésus, cependant, est différent : *Il a affirmé qu'Il était Dieu.*

C'est une affirmation dont il faut bien tenir compte, d'une manière ou d'une autre. On ne peut pas simplement l'ignorer. C'est pourquoi, dans les Évangiles, la question centrale est celle que Jésus pose à ses disciples : *« Et vous, qui dites-vous que Je suis ? »* Les éléments du dossier Jésus reposent sur les diverses déclarations que les hommes ont faites en réponse à cette question. Car il n'y a en réalité que **cinq possibilités** :

Jésus était soit :

1. une **légende** – c'est-à-dire qu'Il n'a jamais réellement existé, le Nouveau Testament n'est qu'une fable.

2. un **menteur** – en fait, Il ne pensait pas vraiment ce qu'Il disait. Il voulait seulement profiter des autres en leur racontant des histoires.

3. un **fou** – c'est-à-dire que sa prétention à être Dieu n'était que la divagation d'un esprit dérangé.

4. un **doux rêveur genre Nouvel Âge** – ce qu'il voulait nous dire, c'est que nous sommes tous des dieux.

5. le **Seigneur** – Il était ce qu'Il déclarait être : le Fils de Dieu, Dieu incarné.

Examinons maintenant chacune de ces possibilités :

1. JÉSUS N'ÉTAIT QU'UNE LÉGENDE

Le problème, si Jésus n'est qu'une « légende », c'est qu'aucun historien reconnu au monde ne peut dire que Jésus n'a jamais existé. Nous savons à quel moment les textes du Nouveau Testament ont été écrits. Comme nous l'avons vu plus haut, la majeure partie du Nouveau Testament date d'une époque où des témoins oculaires des événements, la vie, la mort et la Résurrection de Jésus, étaient encore vivants. Et le fait le plus révélateur concernant non seulement les auteurs, mais aussi tous ceux qui ont préservé leurs écrits au cours des siècles, c'est qu'ils semblent ne s'être nullement préoccupés « d'ajuster » les détails de l'histoire pour créer la prétendue légende.

Réfléchissons : Si les Apôtres n'étaient que des gens enthousiastes qui, s'étant un peu excités, ont pris leur rabbi pour Dieu, pourquoi alors les Évangiles nous montrent-ils les disciples lents à comprendre son message et à mettre leur foi en Lui ?

Il est clair que nous n'avons affaire ici ni à des théologiens de génie ni à des hystériques à la spiritualité exaltée. En fait, les documents bibliques nous dépeignent continuellement les Apôtres comme des hommes un peu lents à comprendre, d'un caractère plutôt ambitieux, et comme des lâches qui ont abandonné Celui qu'ils aimaient à l'heure de sa suprême épreuve (Marc 14:50). Il n'est donc pas crédible que l'histoire de Jésus ait pu être « gonflée » par ces hommes pour en tirer un avantage personnel. Réfléchissons encore : Si vous vouliez lancer votre propre mouvement religieux, et monter en épingle les merveilles de votre chef, le montreriez-vous vraiment sous un angle négatif ?

Des disciples qui, en embellissant l'histoire, auraient cherché à faire d'un simple rabbi un dieu, n'auraient sans doute pas conservé aussi soigneusement des paroles comme: « Mon Dieu, mon Dieu, pourquoi m'as-tu abandonné ? » (Matthieu 27:46; Marc 15:34). Ils n'auraient pas manqué non plus de faire passer à la trappe des citations comme: « Pourquoi m'appelles-tu bon? Nul n'est bon que Dieu seul » (Marc 10:18) ou « Et Il ne put faire là aucun miracle, pourtant Il guérit quelques malades en leur imposant les mains » (Marc 6:5) ; ou « Qui m'a touché ? » (Luc 8:45). De telles citations semblent, à première vue, témoigner de l'imperfection, de la faiblesse et de l'ignorance de Jésus, et ce n'est pas ce que vous mettez en avant si vous êtes en train d'inventer un dieu.

Si les gens qui ont écrit (et conservé) les Évangiles n'étaient pas des maniaques religieux, des adeptes d'une secte, des menteurs, des falsificateurs ou des révisionnistes de l'histoire, qu'étaient-ils donc? Et s'ils étaient « d'honnêtes gens » ? Et des honnêtes gens qui nous disent une chose étonnante: Jésus a affirmé qu'Il était Dieu.

2. JÉSUS ÉTAIT UN MENTEUR

D'accord, les Apôtres ont peut-être dit ce qu'ils croyaient être vrai. Mais il est encore possible que ce soit Jésus le menteur, non ? Peut-être n'était-Il qu'un beau parleur, habile à se vendre Lui-même devant les foules, avec pour objectif, comme c'est généralement le cas, le pouvoir et l'argent ?

Le problème c'est que Jésus n'agit pas comme le ferait un menteur ou un opportuniste. Il s'enfuit au désert lorsque les gens essayent de Le faire roi (Jean 6:15). Puis Il fait des discours (Jean 6 25-60) propres, assurément, à offenser tout le monde à l'exception de ses plus ardents partisans. Il occulte, à plusieurs reprises, ses miracles (Marc 5:43; 7:36; Luc 5:14). Il fréquente les voleurs, les ivrognes et les lépreux. Il s'entoure de gens vulgaires qui feraient très mauvais effet dans des brochures publicitaires. Un jour, regardant par-dessus le « président » de la « Chambre de commerce » de Capharnaüm, et sans même s'excuser, Il accueille chaleureusement une prostituée locale qui débarque, sans invitation, dans un « cocktail mondain » (Luc 7:36-50). Ce n'est certainement pas une façon de se faire des amis en politique. Il n'était pas non plus très raisonnable de s'évertuer à donner aux chefs des Romains et des Juifs, qui ne l'aimaient pas du tout – et qui avaient le pouvoir d'agir – quantité de raisons (et d'occasions) de souhaiter sa mort.

Des « gaffes » politiques de ce genre émaillent toute sa « carrière ». Il s'est régulièrement mis à dos les hommes les plus puissants de son temps, les Juifs comme les Romains :

De nouveau le grand prêtre l'interrogeait ; il lui dit : « Es-tu le Messie, le Fils du Dieu béni ? » Jésus dit : « Je le suis » (Marc 14: 61-62)

Pilate l'interrogea : « Es-tu le roi des Juifs ? »
Jésus lui répond : « Tu le dis » (Marc 15: 2)

Il n'était pas du genre à vouloir ergoter sur le sens de « Je suis ». Mais en fait, alors qu'Il risquait la peine de mort, par deux fois, Il répète exactement ce qu'il fallait pour Lui valoir à coup sûr une mort horrible et ignominieuse. Si c'était le pouvoir de ce monde qu'Il recherchait, Il avait une étrange façon de le montrer.

3. JÉSUS ÉTAIT FOU

Bon, alors, peut-être que Jésus était fou, tout simplement ?

Regardez le Sermon sur la montagne dans Matthieu, chapitre 5 à 7. Est-ce que cela ressemble aux divagations d'un aliéné ? Il faut se remémorer la manière judicieuse dont il répondait à ceux qui cherchaient à piéger ses paroles (Marc 12:13-17). Observez sa brillante et subtile réponse à ceux qui voulaient lapider la femme adultère (Jean 1 : 8-11). Un pareil bon sens n'est certainement pas signe de folie. Il n'y a rien de surprenant si ceux qui essayaient de Le piéger furent « étonnés de sa réponse… [et] gardèrent le silence » (Luc 20:26). Sa lucidité, son regard sur toutes choses, son ironie et son humour ne sont pas des indices de folie mais de grande sagesse. Et même sa détermination absolue à marcher vers son destin ne peut pas être mise sur le compte de la folie. Il ne donnait jamais l'impression de désirer la mort mais plutôt de croire à la mission que Dieu le Père Lui avait assignée, c'est-à-dire de vaincre la mort en donnant sa vie « en rançon pour tous » (1Timothée 2:6).

4. JÉSUS ÉTAIT UN DOUX RÊVEUR GENRE NOUVEL ÂGE

Bien sûr, nous disent certains, Jésus a bien déclaré qu'Il était Dieu. Mais c'était dans le sens des philosophies orientales ou du « Nouvel Âge ». Il ne faisait qu'affirmer sa « conscience divine » dans le but d'éveiller en nous cette même conscience. C'était, en bref, un gourou pour le peuple juif. Et lorsqu'Il dit qu'Il est le Fils de Dieu, Il veut dire que nous sommes *tous* enfants de Dieu et que même nous sommes Dieu, pour peu que nous en prenions conscience.

C'est une idée intéressante, mais ce n'est pas ce qu'a dit Jésus. Au contraire, Il affirme que Dieu est *Seigneur* du ciel et de la terre, mais pas qu'Il *est* le ciel et la terre. En vérité, Il n'identifie nullement Dieu avec le monde créé. Mais Il en parle dans le sens fondamentalement juif du Dieu Transcendant, à la fois Créateur, Juge et Père (Matthieu 19:4; 6:14-15). Il ne dit pas à ses disciples qu'ils sont des parties de Dieu mais Il leur rappelle clairement qu'ils sont des pécheurs ayant besoin de salut et qu'en dehors de Lui seul, ils sont incapables d'obtenir ce salut ou quoi que ce soit d'autre (Jean 15: 5). Loin de dire « qu'on est tous des gens bien », nous comme Lui, Il nous rappelle fréquemment, au contraire, que nous sommes mauvais mais que Lui, est sans péché ; nous sommes d'en bas, mais Lui est d'en haut (Jean 8: 1-11 ; 8:23). Il affirme avec insistance que le chemin vers la vie ne consiste pas à découvrir notre divinité, mais à mettre notre foi exclusivement en Lui.

Alors très bien. Si les documents sont fiables, ils nous montrent clairement un homme qui n'est ni une aimable légende, ni un menteur, ni un aliéné, ni un gourou du style Nouvel Âge. Et pourtant, Il se tient toujours là devant nous, posant, inexorablement, cette question : « Et vous, qui dites-vous que Je suis ? » (Matthieu 16: 15). Et à mesure que sa voix se fait plus insistante, nous commençons à être saisis par la logique que C. S. Lewis décrit ainsi dans *Miracles* :

> … sur un plan historique, il est extrêmement difficile de fournir une explication de la vie, des paroles et de l'influence de Jésus qui ne soit pas plus compliquée que l'interprétation chrétienne. Il existe une disparité entre, d'une part, la profondeur, le bon sens et (j'ajouterais) la sagacité de son enseignement moral, et, d'autre part, la mégalomanie prédominante que cacherait son enseignement théologique s'Il n'était pas véritablement Dieu, disparité qui n'a jamais été résolue de façon satisfaisante. (C.S. Lewis, *Miracles*)

Et ceci nous amène à la seule conclusion possible :

5. JÉSUS EST LE SEIGNEUR

Après avoir examiné tous ces arguments, il ne reste plus qu'une possibilité qui soit vraiment satisfaisante : Jésus est Celui qu'Il dit être. Il est Dieu fait chair. Il est le Fils éternel de Dieu, le Messie, envoyé pour sauver le monde de ses péchés. Il est véritablement le Seigneur de l'Univers venu pour donner la Vie éternelle. Il a réellement et véritablement versé son sang pour nous sur la croix et Il est réellement et véritablement ressuscité des morts et monté aux cieux. Maintenant, Il nous offre toutes les richesses de son amour, de sa miséricorde, de son pardon, de sa joie, de sa puissance et de sa paix par le don du Saint-Esprit, et la vie éternelle avec son Père par les sacrements de son Église, qui est son corps.

Pour aller plus loin, vous pouvez, si vous le voulez, dire la prière suivante. Puis, après l'avoir récitée, allez dans une église catholique et priez devant le Tabernacle, là où se trouve l'Eucharistie. Assistez à la Messe le dimanche, et même, si possible, tous les jours. Contactez la paroisse catholique la plus proche et prenez rendez-vous avec un prêtre. Il vous offrira de vous aider à progresser dans votre vie spirituelle.

Prière pour suivre Jésus

Jésus, je crois que tu es le Fils unique engendré par le Père.

Je crois que, Fils incarné de Dieu, tu peux me guider d'une manière qui honore ton Père, et m'apprendre à te suivre comme ton disciple.

Je te demande de venir dans mon cœur et de me guider vers la plénitude des richesses de ton Esprit, dans l'héritage de tes saints.

Je te reconnais comme le Messie et je veux t'honorer comme Seigneur. Aide-moi à te trouver là où tu peux être trouvé, dans la maison de ton Père, le temple qui est l'Église, le corps du Christ.

Aide-moi à trouver les réponses aux questions que je me pose encore, à te chercher et à persévérer dans la foi, la confiance et l'obéissance.

Je t'en prie, montre-moi le chemin de la paix, de l'amour et du bonheur véritables.

Amen.

TROISIÈME PARTIE

ET L'HISTOIRE CONTINUE

Durant les dernières années de sa vie, un groupe de disciples accompagnait Jésus lorsqu'Il parcourait la Galilée et la Judée, guérissant les malades et enseignant les foules. Parmi ces disciples, Il en choisit douze pour en faire ses *Apôtres* (littéralement « ceux qui sont envoyés »). Entre ces douze, Jésus en choisit encore un, changea son nom de Simon en Pierre, et déclara que sur cette « pierre » Il bâtirait son Église (Matthieu 16:18).

Les Apôtres ont vécu trois ans avec Jésus, ils ont entendu son enseignement et été témoins de ses miracles. Et pourtant, lorsque Jésus a été arrêté, ils se sont tous enfuis à l'exception d'un seul. Même Pierre, la « pierre », l'a renié.

Chose étonnante, au premier abord, la Résurrection de Jésus ne semble pas les avoir beaucoup transformés. Les onze Apôtres qui restaient ont rejeté les premières annonces de sa Résurrection comme des « divagations » (Luc 24 11). L'apôtre Thomas a refusé de croire jusqu'à ce qu'il ait pu mettre ses doigts dans les plaies du Christ ressuscité.

Mais Jésus leur est finalement apparu à tous, et Il les a chargés de le faire connaître au monde entier. Auparavant, il leur fallait aller à Jérusalem, attendre ce que Jésus appelait « la promesse du Père » (Actes 1: 4). Neuf jours après l'Ascension de Jésus au ciel, les Apôtres, Marie la mère de Jésus, et plus d'une centaine d'autres, ont découvert ce que Jésus voulait dire. C'était la fête juive de la Pentecôte, et, ce jour-là, la puissance de l'Esprit Saint les remplit si profondément qu'ils n'allaient plus jamais être les mêmes. Auparavant craintifs et hésitants, ils étaient maintenant devenus hardis, joyeux et même exubérants. Et ils se précipitèrent dans les rues remplies de pèlerins venus de toutes les parties du monde.

Les Apôtres, avec Pierre comme porte-parole, se sont alors mis, sans crainte, à témoigner de la Résurrection du Christ. Des milliers de personnes ont entendu leur proclamation, chacun dans sa langue maternelle, et trois mille d'entre eux, passant par les eaux du Baptême, sont entrés dans cette nouvelle communauté de pardon, de joie et de liberté. C'était en quelque sorte l'inverse de la tour de Babel (Genèse 11). Les différentes langues, qui avaient été, à l'origine, un signe de division causé par le péché, étaient maintenant le signe que Dieu réunissait à nouveau la famille humaine divisée.

Ce jour de Pentecôte fut véritablement le jour de la naissance de l'Église qui montrait ce que signifiaient réellement la mort et la Résurrection de Jésus. La libération du péché ne veut pas seulement dire que les offenses ont été effacées du grand Livre de Dieu. Le péché blesse, enchaîne et affaiblit profondément le pécheur. Il coupe le lien vital qui nous relie à la Source divine et brise nos relations avec le prochain. Jésus est mort pour rétablir le contact entre nous et Dieu, et nous permettre de vivre une relation intime avec Lui, notre Père aimant. Tous ceux qui l'aiment deviennent nos frères et nos sœurs. Et le pouvoir de son amour miséricordieux et guérissant, que l'Écriture appelle la « grâce », nous est offert à travers le Saint-Esprit pour faire de nous des hommes et des femmes nouveaux à l'image de Jésus, notre Frère aîné.

Dès ses tous premiers jours, l'Église a été *catholique* (du grec « catholicos » qui signifie « universel », « total »). Bien que le mot lui-même n'apparaisse pas dans le Nouveau Testament, le concept y est partout présent. Cette nouvelle communauté fondée sur Pierre n'est pas une sorte de culte exotique, un club fermé réservé aux saints. Elle forme la famille de Dieu où chacun est accueilli en tant que membre, quelles que soient sa race ou sa couleur, ses fautes ou ses faiblesses. L'Église est ainsi « l'hôpital universel pour pécheurs » où tous peuvent être guéris par la grâce transformante de Dieu et devenir ce que Dieu désire qu'ils soient.

Mais la présence de la grâce de Dieu ne signifie pas que tous aient été rendus instantanément parfaits. Certains chrétiens ont continué à pécher gravement et d'autres se sont lancés dans de sérieuses querelles. Et ce sont alors les Apôtres, réunis autour de Pierre, qui ont réglé ces conflits et maintenu la discipline dans la famille, préservant ainsi son unité et son intégrité.

Pierre et les Apôtres avaient aussi reçu la responsabilité de « paître le troupeau » (Jean 21 : 15-19) afin de permettre aux pécheurs de devenir des saints. Pour accomplir cette mission, l'un des moyens consistait à transmettre au peuple les paroles et les actes de Jésus, y compris l'histoire de sa mort et de sa résurrection, et à expliquer les répercussions que cela pouvait avoir sur leur manière de vivre.

Un autre moyen consistait à administrer les sacrements, moyens tangibles par lesquels les disciples étaient touchés par la grâce transformante de Jésus. Le Baptême, la Confirmation, l'Onction des malades, la Pénitence, le Mariage et l'Ordre sont tous des signes visibles, institués par le Christ, grâce auxquels la puissance de la Pentecôte peut descendre dans notre vie. L'Eucharistie, mémorial de la dernière Cène, est au centre de la vie chrétienne depuis le tout début. Par la fraction du pain (Actes 2: 42), les Apôtres ont nourri l'Église avec le Corps du Christ, le pain de vie (Jean 6:48-59). Le sacrement de l'Ordre a permis aux Apôtres d'ordonner des assistants (Actes 14: 23) et, plus tard, des successeurs, ayant la mission de continuer à paître le troupeau, à maintenir son unité et à conserver la fidélité à la vérité (catholique) « totale ». On en vint à appeler *episkopos* (« surveillants ») – *évêques*, en français – les successeurs des Apôtres (Philippiens 1 1). L'Évêque de Rome, la ville où Pierre est mort, jouait un rôle particulier au titre de successeur de Pierre. Étant reconnu comme le Père des chrétiens de Rome et, en un sens plus large, de ceux du monde entier, on lui a donné le nom de *Papa* (« Père ») de la famille – le Pape.

Certaines des vérités relatives à Jésus, telles qu'elles étaient prêchées par les Apôtres, furent finalement mises par écrit par plusieurs de ces mêmes Apôtres et de leurs disciples. Vers le deuxième siècle, ces écrits, rassemblés et conservés par l'Église, ont été reconnus comme inspirés par l'Esprit Saint. Nous les appelons maintenant le *Nouveau Testament*. Mais ces brefs récits n'ont jamais eu pour but de nous rapporter tout ce que les Apôtres avaient appris de Jésus au cours des trois années passées avec Lui.

Ainsi cette communauté, dirigée par les successeurs de Pierre et des Apôtres, nourrie par les Écritures, la Tradition et les Sacrements, grandit et se répandit dans tout l'empire romain païen et au-delà. La force brutale de la tyrannie romaine n'a pas pu arrêter l'amour de Jésus, ni empêcher cet amour de se répandre par son Église. Après trois siècles, qui virent des périodes de sanglantes persécutions, l'empereur romain lui-même, Constantin, confessa finalement que Jésus était son Seigneur.

Au cours des siècles suivants, des querelles surgirent au sujet de ce que Jésus et les Apôtres avaient réellement enseigné. Conformément au modèle que l'on voit dans le Nouveau Testament (Actes 15 : 6-29), les successeurs des apôtres, en communion avec le successeur de Pierre, se sont réunis à plusieurs reprises en conciles *œcuméniques* (pour le monde entier) pour régler ces questions de manière décisive. Divers groupes, refusant d'accepter cette autorité apostolique, se sont séparés de l'Église catholique. Ils ont opté pour une vérité partielle (*hérésie* vient d'un mot grec qui signifie « choix ») plutôt que pour la fidélité à l'ensemble. Ceci eut pour effet d'affaiblir le témoignage du christianisme et de provoquer une fragmentation qui n'est pas sans rappeler la Tour de Babel. Nous ne sommes pas responsables des divisions du passé, mais nous avons la responsabilité de rendre témoignage ensemble et d'une seule voix à la plénitude de sa vérité.

Plénitude de vérité. Plénitude de vie. Plénitude des moyens de la grâce. C'est cela que veut dire catholique. C'est ce dont nous avons besoin et, en fait, c'est ce dont le monde a besoin.

Mais que penser de certaines atrocités commises par au temps des Croisades, et des Papes de la Renaissance qui avaient des enfants illégitimes, et des membres du clergé catholique coupables d'agressions sexuelles ? Il est inutile d'essayer de nier les défaillances de divers membres de l'Église et même de ses chefs. Le Nouveau Testament n'a pas tenté de cacher la trahison de Judas ni le reniement de Pierre. Après tout, l'Église est un hôpital pour pécheurs.

Cependant, bien que, depuis 2000 ans, elle soit composée de membres imparfaits et conduite par des gens imparfaits, n'est-il pas remarquable que cette Église catholique ait non seulement survécu, mais même prospéré ? Avec plus d'un milliard de membres, c'est le groupe religieux le plus important au monde. C'est la grâce de Dieu qui soutient l'Église – et Dieu la lui a promise jusqu'à la fin des temps (Matthieu 28 : 20).

Il y a quelque chose de plus remarquable encore. À toutes les époques, des pécheurs sont entrés dans cet hôpital pour y devenir des saints par la grâce transformante de la Pentecôte : Pierre, le lâche transformé en « pierre », Paul, le meurtrier devenu martyr, et ainsi de suite jusqu'à Mère Teresa de Calcutta dont l'amour sans limite a touché le cœur même du vingtième siècle.

Alors, et vous ? Jésus est venu pour que vous puissiez avoir la vie, et que vous l'ayez en abondance (Jean 10 : 10). Pourquoi vous contenter de moins ?

QUATRIÈME PARTIE

QUO VADIS ? *(Où vas-tu ?)*

Une légende raconte que, dans ses dernières années, saint Pierre, le chef des Apôtres qui était alors le premier évêque de Rome, s'était enfui de la ville pour échapper à la persécution lancée contre les chrétiens. En chemin, il rencontra Jésus allant dans la direction opposée. Pierre Lui demanda : « *Quo vadis ?* » (Où vas-tu ?).

Et Jésus lui répondit qu'Il se rendait à Rome pour y mourir de nouveau pour son peuple. Mortifié, Pierre fit immédiatement demi-tour et retourna à Rome.

Nous voici maintenant, nous aussi, arrivés à la croisée des chemins, c'est le moment de décider ou de remettre à plus tard, d'agir ou de ne rien faire, le moment où vous devez choisir si vous allez mettre en pratique ce que vous savez être vrai sur Jésus. Ce choix est loin d'être anodin ; il est, au contraire, d'une grande importance. Le temps est maintenant venu de réfléchir sérieusement à son appel et d'y répondre, de le suivre.

Que pouvez-vous faire pour répondre à ce que Jésus a fait pour vous ? Voici trois recommandations :

1. Acheter une Bible et commencer à lire les Évangiles. Rappelez-vous cependant que si la Bible contient des vérités éternelles capables de transformer votre vie, c'est un livre qui n'est pas toujours facile à comprendre. C'est ce que disait Pierre lorsqu'il écrivait que certains peuvent en « détourner le sens comme ils le font aussi des autres Écritures, pour leur perdition » (2 Pierre 3 : 16). Il faut donc être prudent.

Enfreindre une loi établie par les hommes est une chose. Il est beaucoup plus grave de mal interpréter les enseignements de Dieu : cela peut avoir des conséquences éternelles. Il nous faut donc suivre l'exemple de l'eunuque éthiopien qui, ayant pris conscience qu'il avait besoin d'un guide, dit : « Comment le pourrais-je [comprendre] si je n'ai pas de guide ? » (Actes 8 31). Et ceci nous amène à la recommandation suivante.

2. Si vous n'êtes pas de religion catholique, **trouvez une église catholique** et rencontrez un prêtre. L'Église catholique a été autorisée par Jésus à prêcher en son nom. En suivant l'Église que Jésus a établie, vous pouvez être sûr d'être rattaché à la foi apostolique, la foi qui a reçu le don des Sacrements, l'inspiration divine pour conduire son peuple, et la promesse de rester fidèle jusqu'à la fin des temps.

Bien qu'il y ait des cas où des individus à l'intérieur de l'Église tombent dans l'erreur et le péché, il nous faut prendre conscience que l'Église est à fois divine et humaine. Quoi qu'il en soit, à aucun moment, l'Église ne peut enseigner autre chose que la vérité, car elle est protégée par l'Esprit Saint. Dieu a décrété qu'Il serait présent, et que l'Évangile serait conservé dans son intégrité, jusqu'à la fin des temps.

Si vous êtes déjà catholique, mais que vous avez « perdu le contact », rencontrez un prêtre pour vous réconcilier avec l'Église par le sacrement de Pénitence. La confession, qui peut faire un peu peur à certains, est, en fait, libératrice. Votre confession est protégée par le secret de la confession, ce qui signifie que, jamais, un prêtre ne peut révéler ce qu'il a entendu. Le confessionnal est tout simplement, sur terre, l'endroit le plus sûr et le meilleur pour demander le pardon de Dieu.

3. Après une période de prière, d'étude et de fréquentation des sacrements, **mettez votre foi en action**. Un catholique croyant est un catholique *actif*, par des œuvres apostoliques et une vie de prière pour le reste de l'Église. Votre nouvelle vie de foi sera un fabuleux voyage. Soyez assuré du secours de la prière de vos frères et sœurs dans l'Église. Il se peut que vous ne rencontriez jamais les humbles prêtres, frères, sœurs et laïcs catholiques qui se consacrent à la prière, mais sachez qu'ils sont en train de prier pour vous.

ANNEXES

LES MYSTÈRES DOULOUREUX DU ROSAIRE

1. **L'agonie de Jésus à Gethsémani**
2. **La flagellation de Jésus**
3. **Le couronnement d'épines**
4. **Le portement de la croix**
5. **Le crucifiement et la mort de Jésus sur la croix**

La méditation de ces cinq Mystères se fait traditionnellement le mardi et le vendredi. Ils commémorent cinq moments clés de la Passion de Jésus, en commençant par son intense souffrance dans le jardin de Gethsémani, puis les deux humiliations qu'Il a subies au cours de son procès devant Ponce Pilate (la flagellation et le couronnement d'épines), le portement de la croix, et enfin la crucifixion. Ce sont les événements fondateurs de notre salut. Ils nous montrent d'une manière extrêmement profonde que l'amour, pour être authentique, exige le sacrifice. Comme Jésus nous le dit Lui-même : « Il n'y a pas de plus grand amour que de donner sa vie pour ceux qu'on aime » (Jean 15 : 13)

On peut trouver dans les librairies catholiques de nombreux ouvrages qui proposent des textes de méditation sur ces mystères.[1]

1. Voir bibliographie.

LE CHEMIN DE CROIX

Dévotion catholique parmi les plus populaires et les plus traditionnelles, le Chemin de Croix commémore les quatorze événements clés de la Passion de Jésus. Il est pratiqué depuis au moins mille ans, sous une forme ou une autre.

1. **Jésus est condamné à mort**
2. **Jésus est chargé de la croix**
3. **Jésus tombe pour la première fois sous le poids de la croix**
4. **Jésus rencontre sa très sainte Mère**
5. **Simon de Cyrène aide Jésus à porter sa croix**
6. **Véronique essuie le visage de Jésus**
7. **Jésus tombe pour la deuxième fois**
8. **Jésus réconforte les femmes de Jérusalem**
9. **Jésus tombe pour la troisième fois**
10. **Jésus est dépouillé de ses vêtements**
11. **Jésus est crucifié**
12. **Jésus meurt sur la croix**
13. **Jésus est descendu de la croix**
14. **Jésus est déposé dans le tombeau**

LES SEPT DERNIÈRES PAROLES DU CHRIST

Les sept dernières paroles du Christ ont été prononcées par Jésus durant son agonie sur la croix. Chacune est riche de symbolisme théologique et surgit des profondeurs de l'âme du Christ pour nous introduire au cœur du plan de salut de Dieu et de son grand amour pour nous.

Ces paroles sont si émouvantes qu'elles ont été mises en musique par quelques-uns des plus grands compositeurs (Haydn, Franck). Leur pouvoir transcendant a inspiré chez d'innombrables croyants une foi et une révérence plus grandes pour la puissance salvatrice de la croix.

1. « **Père, pardonne-leur, ils ne savent pas ce qu'ils font.** » (Luc 23:34)
2. « **Femme, voici ton fils… Voici ta mère.** » (Jean 19:26-27)
3. « **J'ai soif.** » (Jean 19:28)
4. « **En vérité, Je te le dis, aujourd'hui, tu seras avec Moi dans le paradis.** » (Luc 23:43)
5. « **Mon Dieu, mon Dieu, pourquoi m'as-tu abandonné ?** » (Matthieu 27: 16; Marc 15:34)
6. « **Tout est accompli.** » (Jean 19:30)
7. « **Père, entre tes mains je remets mon esprit.** » (Luc 23:46)

BIBLIOGRAPHIE

Visions d'Anne-Catherine Emmerick
sur la vie de Notre Seigneur Jésus-Christ
en 3 volumes - avec illustrations, Éd. Téqui
Traduction par Charles d'Ebeling

Anne-Catherine Emmerick
La douloureuse Passion de N.S. Jésus-Christ, Éd. Téqui
Traduction Abbé de Cazalès

Anne-Catherine Emmerick
La Passion de N.S. Jésus-Christ , Éd. Téqui – édition abrégée

•

Marie d'Agreda
La cité mystique de Dieu, Éd. Téqui – en 3 volumes

•

A NOS ÉDITIONS ÉGALEMENT :

Vie d'A.-C. Emmerick, Éd. Téqui – Traduit par E. de Cazalès

Chemin de Croix
dessins de Lazerges

Jean Paul II
Chemin de Croix au colisée

Jean-Paul Dufour
Le Saint Rosaire – Les 20 mystères, joyeux, lumineux, douloureux, glorieux, Éd. Téqui

Triptyque ***Le Rosaire,*** Éd. Téqui

À PARAÎTRE PROCHAINEMENT :

Nouveau Testament
Révisé par Fr. Bernard-Marie, o.f.s.
sur la traduction du Chanoine Crampon – 1923

•

Le Catéchisme de l'Église catholique, Diffusion Téqui
Format poche

e-mail : **postmaster@editionstequi.com**

TABLE DES MATIÈRES

ACHEVÉ D'IMPRIMER EN MARS 2004 SUR LES PRESSES DES ÉDITIONS TÉQUI
53150 SAINT-CÉNERÉ
N° d'édition : T53 1701 – Dépôt légal : mars 2004